コミュニケーションの記号論

情報環境と新しい人間像

中野収著

有斐閣選書

はじめに

コミュニケーションとは何か。ひとことでいえば、これがぼくにとっての問題だった。しかし、コミュニケーションの抽象的・哲学的・普遍的な定義を見出したいと考えたことなど、むろんない。そうではなくて、われわれが日常生活の中で繰り返している行為としてのコミュニケーションとその意味を分析し記述すること、関心と興味は、そこに集中していた。限定してしまった、といってもいいぐらいである。

コミュニケーションを研究するとは、今から三十年前においては、まずはもって、海外の文献を読むことであった。明治以来の社会・人文科学の慣習に従っていたのである。そうした海外文献に、時には明示的に、時には暗示的に示されているコミュニケーション行動・現象についての哲学・理念・理想、いうならばあるべきコミュニケーションの姿、コミュニケーションの規範的で正常な形、これがのっけから気になって仕方がなかった。異文化・異民族・異言語と常時軋轢を繰り返してきた歴史を考えれば、かれらが、情報・知識・価値や、気分や情緒の完全な共有状態を実現したがる気持がわからないわけではない。コミュニケーション理論（科学）の実用的な目的が、相手に最大の影響を与え、相手を説得し、誤解を最少限にし、コミュニケーションを阻害するさまざまな障害を取り除き、しかも効率よく情報とメッセージと意思を伝達する方法をつくることである、というかれらの構想も納得できないわけではない。

しかし、ほかならぬわれわれの日常的なコミュニケーションが、ただそれだけのためにあるか、というと、とてもそうとは思えなかった。われわれとは、差し当たり、日本人のことである。そのわれわれの文化と日常の中のコミュニケーションは、もっと多様で、寛容で、ある意味でいい加減なところはあるにしても、もっと豊かなものではないか、という疑念である。われわれにとって常態になっていることを例示すると、たとえばこういうことがある。相手のいいぶんを理解しても同意しない。同意していないことを、話者もまた十分に了解している。納得しないからといって、決して深追いをしない。誤解について話者も聞き手も、十分に寛容である。ひとりごとを巧みに演出して、いいたいことをいい、伝えたいことを伝えてしまう。相手のいい分を理解した上でその論旨にまっこうから対立しないような形で、自分のいい分を表現しようとする、あるいはしてしまう。いわれたこと、書かれていること、表現されたものを、話者や書き手や表現者（意思や意図）を切り離して、みたり、聞いたり、読んだりして享受している、等々。コミュニケーション行動を自己目的化して、そこに楽しみと快感を見出すという、コミュニケーションにおける遊びの文化に、かつて高度の洗練に達した歴史をもつわれわれにしてみれば、こうしたコミュニケーション習慣は、すぐれた文化的伝統のひとつといっていい。

そう、コミュニケーションとは、それ自体、文化なのである。何らかの人間の行為を実行し実現するための、単なる手段、単なる道具、単なる補助的な働きなどではない、ということである。文化そのものであるとするならば、文化としての、われわれのコミュニケーションを分析し記述する独自の方法がなければなるまい、少なくとも、欧米のコミュニケーション理論の哲学なり、理念なりを前提にし、その理論をかりて分析・解釈することなど、ドダイ無理ではないか、と考えたのである。

本書に収めた論文は、一編を除いて、直接・間接のちがいはあっても、われわれの文化と日常のなかのコミュニケーションを、それ自体として描き出してみるという意図によって書かれている。「寄合」に現われているコミュニケーションの形・パターンを、一応、日本的コミュニケーションの原型と措定し、再三にわたって言及しているのは、そのためである。

話が前後してしまうが、各論文は、主として有斐閣刊行のテキストブックに寄稿したものであって、編者、もしくは編集者の依頼と指示によって、それぞれ独立に書かれた。しかし、ぼく自身の年来の気がかり、こだわり、主張は、前述のような形で、結果として一貫することになった。記述に繰り返しが多々あり、読者からすれば、煩瑣にすぎるということになるだろうが、主旨は了解してほしい。それぞれの論文のまとまりを考えて、重複部分の削除はしなかった。

収録論文の執筆期間中（一九六八年以後）は、われわれの戦後史の屈曲点ともなるべき未曾有の出来事、事件、現象が頻発した。メディア・コミュニケーションの分野についていえば、「情報化」が変貌のキイシンボルになっていた。「情報化」という名称の是非はともかく、メディア・コミュニケーションにかかわる社会的・文化的構造が、連続的かつ加速度的に変貌していたことは、まぎれもない事実であった。六〇〜七〇年代とは、そういう時代だったのである。

たとえば、アポロ報道に明確かつ典型的に現われたメディアとコミュニケーションの社会的仕組は、変貌について強烈な衝撃を与えてくれた。この種の社会的仕組についての、それまでのイメージは、たかだか、組織的な情報生産、その大量のコピイ、そして社会的分配というほどのものにすぎなかった。しかし、アポロ報道をみた視聴者の規模、月から各家庭のブラウン管にいたるまでの巨大な情報伝達のメカニズム、なかんずく報道が開始されるとおのずからテレビにスイッチが入る自動的なコミュニケーションの社会的システムは、新たなイメージ形成を促していると思わざるをえなかった。

コミュニケーション、あるいはメディアの、自動的に作動する社会的・文化的装置が存在し、そこに、アポロなり、オリンピックなり、米中会談なり、ビートルズなりのイッシューをインプットすると、装置は自動的に働いて、たとえば六億のひとがブラウン管の前で同じ映像をみる、同じ演奏をみたりきいたりする、という大量現象が、ほとんど一瞬のうちに成立する。しかも、ひとびとに対して、いかなる外的強制も働いていないのに、そしてひとびとの相互の影響関係もないのに、極めて酷似した行動が同時にとられる――というのが、現象から触発されたぼくのイメージであった。これは、かつてのイメージとは決定的に異なるものであろう。

「装置」と「自動的」というイメージ＝モデルは、大変に都合がよかった。第一に、情報の制作者・送り手という要因が稀薄になり、情報と享受者の自律的な相互作用だけに限定されるコミュニケーション行動、あるいは六〇年代以降顕著になった受け手の選択と読みとりの主体性、そして現象の大量性、を説明する恰好の概念であったからである。そして第二に、やはり六〇年代後半から明らかになり出した「情報の環境化」と「環境の情報化」という事態は、コミュニケーション・システムの大規模装置化と人びとの変容しつつあったコミュニケーション行動の所産であったのだから。

明示こそはしなかったが、欧米・日本を含めて、コミュニケーションのより一般的な形態は情報とひととの相互作用であり、この相互作用は、広義の「情報環境」という場で行なわれる、という仮説を一貫させている。ひととひととが、何らかの共同性を実現し獲得するプロセスとしてのコミュニケーションは、情報＝コミュニケーション行動の特殊な形とみなしている（くわしくは本文参照）。そしてさらに、コミュニケーション文化とは、相互作用と意味作用の特定のパターンであり、それぞれの文化圏で強い固有性をもつ、というのがもうひとつの仮説である。この仮説も本書の記述の前提になっている。

話をもどそう。「装置」というイメージは、いうならば従来の「送り手」と「過程」というイメージを含むものである。装置といったのは、いささか静態的な印象はまぬがれがたいにしろ、とにかく装置を舞台に演じられるひとびとの社会的・文化的行動をこそ問題にしたかったからである。コミュニケーション現象とは、受け手が何らかの形で情報を享受することによって成立するものであって、単なる情報生産、単なる情報流通ではないのだ。いいかえれば、送り手の意図にもとづいて、過程に組み込まれている受動的な「受け手」というイメージが、もはや現実的ではなくなったと考えたからでもある。個としてのひとびとの選択と読みの自由・主体性を、常に意識してはいたが、他面ではコミュニケーションの社会的装置と、その装置によってというか、その装置の上に成立する大量現象をも、同時に意識せざるをえなかった。各論文の随所で、装置の作動の問題に言及しているはずである。新しい装置のユニークさは、個々人の自由・主体性の余地が大幅に拡大されながらも、同時に、巨大な大量現象が、その装置において成立するという点にある。

コミュニケーション行動、なによりもまず、われわれの社会と文化に属するコミュニケーションを分析し記述するについては、少なくともぼくの場合、記号論の発想と論理は、大変に有効であった。というか、かのコミュニケーション理論の理念・哲学とわれわれの日常的なコミュニケーションの現実とのギャップを前にして、いささか途方にくれていた時、記号論と出会ったことは、幸いだったと思う。記号表現を自立させて、その意味作用をそれ自体において分析・説明する記号論の方法は、以来、ぼく自身に方法になった。単に記号論的用語・概念・範疇を使用するだけでなく、発想と思考の多くを、記号論に負うことになったのである。Ⅷ章は、コミュニケーション行動を記号過程としてとらえた上での分析・記述の試みである。記号論は、結局のところ有力な方法にすぎないと考えていたので、こういう形でテーマの展開の必要を感じたことはなかった。今回、本書を編むにあたって編集担当者からの強いすすめもあって書いてみた。したがって、唯一の書き下ろしの論文である。「コミュニケーション」「記号」「情報」を複合させてメディアとし、かつその定義を拡張した上で、メディア論、メディア行動論、メディアと意味作用、メディア文化論、メディア人間論へという個人的な構想のスタートラインに位置づけている論文である。

補論は、六〇年代の前半に書いたもので、コミュニケーションに関する最初の論文であった。読んでいただければわかるとおり、語彙も、用語も、文体も、そして理論的にも、他とはいささか異質である。当初、この論文の延長上に、ぼく自身の仕事は続くはずだったのだが、六〇年代後半から七〇年代へかけての研究生活の内外での衝撃的な体験が、延長を許してくれなかった。したがって、今では、終止符をうってしまった研究の記録にすぎない。しかし、ここで展開を試みた「社会的コミュニケーションの総過程」というイメージが、「コミュニケーションの社会的・文化的装置」「情報環境」というイメージに吸収されたことは、どうやらたしかのようだ。生硬で未熟な思考、難解な文体には、顔の赤らむ思いを禁じえないが、ひとつの出発点であったこと、なかんずく「総過程」なるキイ概念を最初に使ったこと、コミュニケーションを「構造」としてとらえる試みであったこと等を考えて、あえて収録した。この論文の視角、論理、構成は、今のぼくから相当に距っているが、コミュニケーションの構造をとらえるひとつの有力な方法であることに関しては、いささかの自負はある。そうした事情もあって、初出のさいの口吻を残しておこうと考え、この論文にはいっさい手を加えなかった(他の論文では、最少限の語句の訂正を行ない、削除と加筆がなされている)。

ぼくは、必ずしも勤勉な研究者ではなかったようだ。大量の外国文献を読破することを好まず、むしろ、眼前の現象をためつすがめつし、複数のイメージをつくってはこわし、いくつかの視角から解釈を試行し、そして、いつものことなのだが、唐突かつ独断的に、あるイメージとある解釈を選び、その文章化に妙に偏執する、そういう遊びに近い作業に、大半のエネルギーをそそいでしまった。実際、本を読むヒマなどなかった。おそらく、ぼくは生理的にオーソドックスな研究者にむいていないのだろう。だから本書は、そういういささかヘテロドックスぎみの研究者の、この十余年のイマジネーションと思考のささやかな記録ということになる。コミュニケーションとメディアということばで表示される研究分野に、いささかでも興味のある若い研究者諸君に、なにがしかの参考にでもなればと考え、編んだのが本書である。

一九八四年九月

中野　収

目次

写真提供　毎日新聞社・共同P

I　日本型コミュニケーションの特質

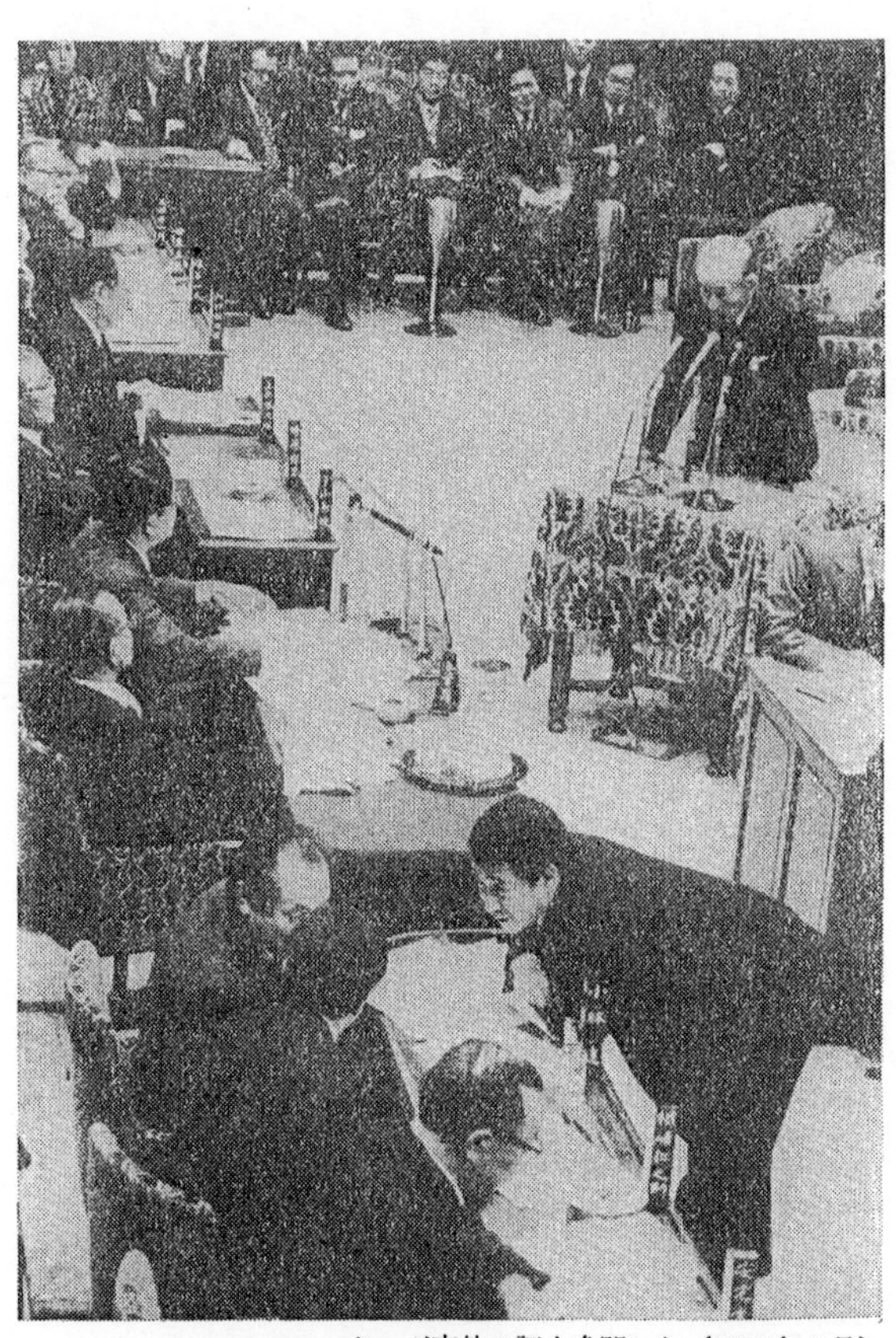

ロッキード事件の証人喚問から（1976年2月）

文化としてのコミュニケーション

国会という場での言語習慣

たとえば、ロッキード事件のとき国会での証人喚問（一九七六年）を聴いて、いまいましい思いをした人は相当に多いと思う。証人を追及しきれない議員の無能ぶりにいらだったり、平然とシラをきる証人に腹立たしい思いを感じたことだろう。ロッキードはコトがコトだけに、あらためてわれわれは、国会での議論の仕方が、いかに茶番じみているかを痛感させられたわけだ。とくに、ロッキードのアメリカ議会での議論を何回か見せられ、彼我の比較をする機会に恵まれただけに、〈言論の府〉というものの違い、議会という機関の権威の違い、を目のあたりに見せられて、絶望的な気持になった人もいた。ぼくの周辺でも、国会の無能ぶりからはじまって、わが国の〈政治〉の未成熟ぶりに至るまで、慨嘆の声が満ちていた。

しかし、実は、あのテの議論の仕方は、わが国会が、明治以来百余年にわたってくりかえしてきたもののひとつである。野党対政府、野党対与党の議論は、対話によって事柄の真実を解き明かし、具体的な政策の妥当性・有効性を確認し、個々の意思決定を国民の代表機関としての国会の意思とする、というようなものではなかった。あげ足とり的追及とあいまいな答弁、多数決という一方的な決定、という〈儀式〉をくりかえしてきた。この〈儀式〉をいかに〈演出〉するかが、政府・与党の国会運営の技術であり、この〈儀式〉に参加しながら、国会内でだけ通用する点数稼ぎが、野党の主たる関心であった。

この、国会でのきわめて珍妙な——という意味は国会という欧米産の制度を前提にしてということだが——〈儀式〉を、コミュニケーションという視点から、かつて鶴見俊輔氏が分析してみせてくれた。たしか河出書房刊の第一期の『マス・コミュニケーション講座』(一九五五年)に載せられていたと思う。国会という場での、特異な〈言語習慣〉が、実にみごとに解明されていたと記憶している。鶴見氏の論文を読んで以来、ぼくは、テレビ・ラジオ・新聞等で国会でのやりとりに接するたびに、この論文に思いを馳せざるをえなかった。そして、六〇年安保のときも、日韓問題のときも、七〇年安保のときも、大学管理法のときも、ロッキードのときも、あの特異な〈言語習慣〉がいささかも変わっていないことを、そのつど確認せざるをえなかった。「何たることか……」といって、われわれの政治を、たとえばアメリカのばあいと比較して、その未成熟度を非難することはできる。アメリカの政治の成熟度とぼくらの国の政治の発育不全ぶりを比較し説明してなんとなく納得して、いつの日にかの成熟を待つというのも、精神衛生上の知恵かもしれない。政治を慨嘆していても腹はふくれないのだから。

政治文化との関連

しかし、ぼく自身としては、いつの頃からか、議員の無能力、答弁する人物の不誠実、国会の権威のなさ、近代議会政治の未成熟という説明に疑問をもつようになった。単純化した疑問文として書くと次のようになる。

「日本人のコミュニケーション習慣（言語習慣）と、議会制度とは直接に結びつかないのではないか」。政治とは、利害の調整と意思決定の場（機能）である。とくに議会は、その機能を〈言論〉を通じて行なう。〈言論の府〉といわれるゆえんである。それ以上でも以下でもない、議会には、したがって、限界がある。過剰な期待をもつべきではないし、制度に絶望してもはじまらない。〈言論〉とは、別のコトバでいえばコミュニケーションであるし、つまりは〈言語〉による人間の行為である。国会内には、さまざまな規則やルールや慣習があるとは思うが、そこに成立する〈言語行為〉が、われわれの日常的言語行為と無縁ではないだろうと思う。たしかに特殊なテクニカル・タームがあり、国会内でのみ通用する独特のいいまわしがあるだろう。しかし、コトバ・話す行為・話すことの意味、同時に、話を聞き、意味を読みとる行為に対するわれわれの日常的・伝統的・文化的イメージ、ことばをかえていえば、〈話し聞く文化〉そのものが、国会内だけ違うとは思えない。国会議員といえども、日本語という〈文化〉から自由ではないからだ。ということは、〈政治的行為〉とは深く〈文化〉にかかわっている、いや正確には〈文化〉そのものであるということだ。ぼくは、〈政治文化〉という概念を使うべきだと思っているが、そういう概念をひとたび使ってみると、〈政治文化〉ということで、わが国と欧米が、著しくへだたっていることに、いやでも気付く。それは、民衆の心性（メンタリティ）のなかにある〈政治イメージ〉を比べてみれば、たちどころにわかることだ。

今日、文化とか文明の構造と機能と意味とかが、あらゆる文化圏において普遍的である、と考えるものはいない。比較研究が進めば進むほど、その違いが拡大する。文化の拡散や相互浸透や融合という事実はある。しかし、これは時間のかかる話であって、おそらく、世紀を単位にしてしか起こらないだろう。のみならず、日本はつい百年前まで、孤立性と独自性の強い文化をもっていた。おそらく、今日でもそうだろう。百年ぐらいで〈文化の体質〉が変わるわけがない。——①

周知のように、コトバはそれぞれの文化の構造の核心部分に位置づけられる。言語習慣・言語行為、コトバの社会・文化的意味は、文化の根幹にふれている。これらが変わるということは、文化の構造そのものが変わることである。ひとつだけ具体例をあげていえば、たとえば、〈笑い〉の意味が変わることである。〈笑い〉の意味の変化は、文化の構造を全体として変える。というのは、〈笑い〉は、文化の深層構造と深くかかわっているからである。ところで日本人の〈笑い〉の意味が近い将来に変わる、というのは考えにくいことである。——②

近代の議会制政治は、制度のなかで〈話す〉ことの機能を強調し、その役割を大幅にとり入れたひとつの歴史的なシステムである。そして、しかもそれは、ヨーロッパという特殊な文化圏のなかで自生した制度である。〈特殊な〉というのは、キリスト教的文化を公分母とする文化という意味だ。こ

の制度は、キリスト教文化と密着した〈政治文化〉の所産といわざるをえない。——③

日常的言語習慣と政治文化

以上、三つの条件を前提にして推論を組み立ててみると、わが国の伝統的〈政治文化〉と欧米産の議会制度が、簡単に結合すると考えるのは無理のような気がする。かりにもし、わが国の議会制度が欧米的に機能したとすれば、わが国の〈政治文化〉が変質したことになる。それは、必然的に、〈文化〉そのものの変容を誘発するはずである。しかし、われわれの日常的な体験は、その事実を否定している。つまり、制度は、形式化してそこにあるにすぎない。そして、〈政治文化〉そのものはいささかも変わらず、ましてコトバにかかわる文化の変質などありえないといえば、われわれの日常的に経験している事実に、うまく適合する。いい方をかえれば、わが国の伝統的〈政治文化〉と欧米産の議会制度という〈政治文化〉は、少なくともこの百年の間、融合したわけではなかった。

ぼくは、鶴見氏の論文と国会内の討論に触発され、日本人の日常的な言語習慣と、議会という制度が要求しているコミュニケーションという働きは、容易に接近できるものではない、という見方を強めている。ロッキードは、この見方を強化する方に働くひとつの事件でしかなかった。このことを、ひとりのコミュニケーション研究者として受けとめると、〈話す〉〈しゃべる〉〈口をきく〉〈話をきく〉〈ひとと話す〉〈耳をかたむける〉〈コトバを使う〉〈……〉といった行為の意味が、欧米と日本のばあいどう違うか、いろいろな文化圏のなかでどう違っているか、という設問になる。ぼくは、〈マス・

〈コミュニケーション〉という働きも、今書いたことがらの社会的集積体のひとつと考えるので、マスコミ研究も、これらの事柄の分析を無視して成り立つわけはないと思っている。もちろん、マスコミは、一個の社会現象として独立しており、言語行為とは次元を異にするという有力な見解がある。かりにこの見解を認めたにしても、そもそも〈話す〉とはいかなることかということの確認なしに、やはりマスコミ研究はありえない、と思う。ぼくは、このエッセイで最近考えていることを、かなり独断的になることをおそれず書いてみようと思う。

日本型コミュニケーションの原型

コミュニケーションとは対話

〈文化〉としての〈コミュニケーション〉(言語行為)を、日本のばあいと欧米のばあいどう違うかというテーマは、相当に規模雄大なものである。このような小論で片付くものではない。ここでは考えるべき問題の提起ということで、ぼくの体験・経験から、日本人の〈コミュニケーション行為〉の特質をさぐりだしてみよう。欧米その他との比較は、そのさぐりだしに役立つかぎり、やってみることにしたい。

ここまで、一応、コミュニケーション＝言語行為としてきた。ところで、ぼくが、日本文化のなかの言語行為の特性をあらためて考えなおさざるをえないと考えるようになったのは、この等式が成立するのかどうかを疑ったということであった。〈コミュニケーション〉は、欧米産のコトバである。ラテン語系であれ、ゲルマン語系であれ、このコトバが含意する〈相互性〉を否定していないだろう。だけでなく、〈相互性〉なしには、どだいこのコトバは成り立たないはずである。つまり、〈コミュニケーション〉という行為の途中か、あるいはその結果として、最少二人の人間が何かを〈共有〉することによって、行為の目標が達成される。いや達成されたときに、その行為を〈コミュニケーション〉というというべきか。その意味で、〈コミュニケーション〉の正確の訳は〈対話〉ということになる。

しかしまた、この〈対話〉は、単なる〈話し合い〉でないことを忘れるわけにはいかない。欧米人と一度でも〈対話〉したことがあるものならば、誰しも気付くことがある。それは、〈対話〉のなかで〈うなずく〉ことは相手の主張をほぼ全面的に承認したことに等しい、ということだ。相手の立場を認めるが、その主張に同意したわけではない、という日本人的ニュアンスは、〈うなずく〉という行為には含まれていない。だから、ひとたび〈うなずく〉と、彼らは更に厳しい主張の承認を求めてくる、という仕掛けになっている。われわれ日本人は、この種の息苦しいコミュニケーションにほとんど耐えられないのではないか、とすらぼくは思う。要するに、コミュニケーションとは、自己の立場・利害・意識・主張を徹底的に相手に認めさす行為にほかならない。そして、欧米の文化の全体は、〈コミュニケーション〉に、このような機能を要求しているのだ。それは、ダイアローグという概念そのものの原義が端的に示していることでもある。

このような〈コミュニケーション〉は、欧米産の制度としての議会によくマッチするといえる。そして議会とは、欧米文化・文明・価値体系を維持する不可欠の機関であるとすれば、議会制度に対する畏怖のありようも理解できる。いかなる理由であれ、議会の権威を否定することは、文化的自殺行為に等しいのだから。

他方、〈コミュニケーション〉という行為の意味が前記の通りであるとすれば、〈話したこと〉が真実であれ虚偽であれ、責任は自己にある。公私を含め、彼らが自己の発言に対してもつ忠誠度は、われわれ日本人を驚かす。

日本人の言語行為の特質

以上は非常に大雑把であるが、欧米文化のなかの、〈コミュニケーション〉という行為の客観的・文化的・社会的意味である。日本はどうか。ぼくは、全然違うと考える。いや、ここ十数年、コミュニケーション論・記号学・情報環境論などを勉強しながら、ぼくはこの違いという、いうならば直観的事実が気持のすみにひっかかっていたといっていい。そして今では、この問題の解明をこれからのぼくのテーマのひとつにしたいと考えている。という以上、いうまでもないが、ぼくは欧米のコミュニケーション観を〈物差〉にして、日本人のコミュニケーション習慣を断罪する気など毛頭ない。いや、日本人の言語行為を説明するのに、欧米的意味を含む〈コミュニケーション〉なる概念は、不適当だとすら考えている。もちろん、〈コミュニケーション〉というコトバを欧米的意味で使う義理などない。文化的国境を越えたとき、コトバの運命もまた、生誕地とは無関係になるのだから。ということは、〈コミュニケーション〉の含意する意味構造を、日本人の言語行為に合わせて変換することは許されている。いうならば再定義で、その結果、意味の幅は縮小するか拡張するか。おそらく拡張するのではないか、とぼくは思っている。

話をもどそう。欧米人の〈コミュニケーション行為〉が独特であると同じように、日本人の〈言語行為〉も相当に独特である。そして、この両者の間に優劣の差など最初からない。社会的目標を達成するために、どちらが有効かつ能率的であるか、という条件を設定しても、である。つまり、〈言語行為〉の機能を道具性ということで比較してみても差がないということである。まして〈言語行為〉の総体となれば、下手な比較は無益である。

ぼくは、日本人の〈言語行為〉の特徴のひとつを〈対話性〉の稀薄さに求める。ここで、あるエピソードを紹介してみたい。詩人谷川雁氏から聞いた話である。

五島列島における寄合の事例から

五島列島の小さな集落の寄合のことである。集落全体にかかわる問題が起こったとする。小さな集落(=共同体)といえども、問題に解決をつける行為は政治である。成員個々の利害は必ずしも一致しない。そこで寄合・話し合い、ということになる。寄合が始まると、成員がひとりひとり、自分の考えを話す。必ず全員が話す。話し終わったところで、第一回の寄合は終わる。一定の時間を置いて、

第二回の寄合が行なわれる。やり方は第一回とまったく同じで、必ず全員が一回以上発言する。そのとき、ひとりひとりの考えは、前回と少しずつ変わっているということだ。そして、また機会を改めて第三回の寄合となる。こういうことを何回かくりかえしているうちに、成員ひとりひとりの考えは、あるしかるべき点に収斂してくる。こうして達成された収斂点が問題の解決となる、というわけだ。

これは、五島列島の、日本の片隅の実際の話であるが、おそらく、日本中のあらゆる集落で行なわれていた問題解決の方法であり、寄合・話し合いの普遍的な形に相違ない。われわれは、今日、さまざまな会議のなかに、これと酷似した形を発見しうるはずである。少なくともぼくは何回か経験している。大変な忍耐力を要求し、しかも何かを決定した快感を与えてはくれないが、ある組織・機関のなかの内部対立の表面化をよく制御してくれる方法である。近代以前の共同体的集落にとって、内部対立の顕在化は、集落社会維持にとって致命的なはずだから、この方法はもっとも賢明なものであったことはたしかだと思う。しかし、それ以上にぼくは、これを日本人の〈コミュニケーション行為〉の典型だといいたい。

すでに書いたことからも明らかなように、寄合の場では、ひとりひとりの発言はあっても、それぞれの自己主張をぶっつけ合う〈対話〉は行なわれない。ひとつの利害をめぐっての厳しい対立は、話し合いのなかに顕在化しない。〈対話〉が折り重なるのではなく、ひとりごと、つまり〈モノローグ〉が連鎖して、全体としてある構造——考え方の分布状態——を成している。その構造の全貌は、全員の発言が終わったところで明らかになる。成員ひとりひとりは、その構造を知って家路につく。次回の寄合まで、各成員は全体の構造のなかの自己の位置を測定し、その結果、自己の考え方を微調整し、次の寄合にのぞむ。寄合の場での〈モノローグ〉と、ひとりになったときの〈モノローグ〉があって、それが〈対話〉に代わる機能をになっている。次の寄合のときの全員の発言によって、おそらく全体の構造は、ある方向へ若干変移する。そのくりかえしによって、構造は一元的なものに変換し、意見の分布は一点に収斂する。成員ひとりひとりの不満の総和を最少にする知恵を含んだ方法であり、多数決に対する皮肉を意味した方法である。それはともかくとして、〈しる〉〈みとめる〉〈うなずく〉〈わかる〉〈しゃべる〉〈きく〉などといった、〈コミュニケーション〉を成立させる行為が、日本的に位置づけられた典型的な例であることはたしかだ。

モノローグの連鎖

われわれは、日本文化のなかに生息しているわけで、このコミュニケーションの形を身につけている。このことは議員や国会に登場した証人とて変わらない。この種の〈コミュニケーション習慣〉を、国会という制度に持ち込んだら、どのぐらい珍妙なことになるかは、想像にかたくない。理念としての議会制度から見たとき、それは許されない行為ということになるだろう。議員や証人たちは、追いつめられると、この〈日本型コミュニケーション〉の形に逃げ込む。逃げ込まれると追求するほうも追いきれない。そのことを、われわれはロッキードのときに改めて確認したわけだ。まったく異なる文化に属するふたつの部分が、国会という場に混在しているにすぎない。このことは、五島列島の寄合と同じ程度に、〈コミュニケーション〉の日本的形のありようを暗示している。

ぼくも経験があると書いた。この経験のなかには、演習室での学生との間の〈話し合い〉も含まれている。昭和の三十年代に生まれ、高度成長とテレビとクルマに象徴される新しい時代のなかに育った彼らにしてからが、この〈コミュニケーション〉の形から自由でない。とくに、七〇年〈文化(意識)革命〉のあとの世代ほど〈発言〉はモノローグ的である。そして、相手の発言をうけて行なわれるはずの次の発言もまたモノローグである。ぼくは、こういう状態をみていると、〈コミュニケーション〉というコトバを使うことに根本的な疑問を投げかけたくなる。そして、日本人の作った言語的・映像的・音響的創造の多くに、このこと(=モノローグ性)が多かれ少なかれ含まれていることにも気がつかざるをえない。同時に、ぼくは、たとえば次のような考え方の非のうちどころのない論理性に、半ば説得されかかりながらも、この論理の網目構造から抜け落ちるものがあることを否定できないと思う。

《言語は、多くの目的に役立つ。言語はたしかに、われわれの思考を助ける。またわれわれのうっ積した感情に対してはけ口を与えてくれる。われわれは、それを芸術的媒体として利用する。だが言語は、何よりもまず第一に、伝達、つまりある人間からもう一人の人間への経験の引き渡しに用いられるものである。もちろん、言語を芸術的に用いる場合にも、伝達は関係しているのであって、その際伝達でないものは、表出——つまり、専門用語で言うなら、話し手から聞き手に情報を渡すことを目的とせず、むしろ話し手をあらゆる種類の内的圧力・緊張から救い出す、自己中心的言語活動を指すためにとっておくべき術語――ということになる。純粋な表出であるひとりごとは、ふつう非社会的な行為であると顔をしかめられるので、自己を「表出」したいと思う人びとは、伝達をしているふりのできる相手を確保し、その人をだまして、自己表出の犠牲者にしなければならないだろう。このことから、なぜ言語の進化が、人間の伝達の必要によって完全に規定されるか、その理由の説明がつく。というのは、もしひとりごとが伝達を真似しているのでなければ、すぐにでも言語の絶滅という結果がひき起こされるはずだからである》(A・マルチネ、田中・倉又訳『言語機能論』)。

この文章では、〈伝達〉と〈表出〉が対比され、〈言語〉にとって〈伝達〉がより根源的な機能となっている。たしかに論理的には、〈伝達〉なしには、言語は絶滅するかもしれない。〈伝達〉がかなり根源的であることは認めていいと思う。しかし、この論理ですでにあげたいくつかの日本人の例が説明できるだろうか。ぼくは、この文章の〈伝達〉と〈表出〉を入れ換えた論理が可能ではないか、とすら考えている。少なくとも〈コミュニケーション〉〈言語行為〉に関するこの種のロジックは、複数あっていいのではないか。さもないと、日本人の〈コミュニケーション〉は、不完全な、じゅうぶん成熟していないものになってしまう。われわれ日本人が、言語の使用において、文化的にきわめて成熟度が高いことは、だれしも認めざるをえないことである。とすれば、もうひとつの説明原理があってもいいではないか。

コミュニケーションの表出機能

表出性という特徴

日本的コミュニケーションの形の大きな特徴は、〈表出機能〉にあるといっていいと思う。マルチネ同様、構造主義記号学者であるE・ギローは『記号学』のなかで、記号(=言語)の機能は六つあるとして、その第一に〈対象照合性〉をあげ、第二に〈表出性〉をあげている。そしてこのふたつを、記号の基本的機能と考えている。どちらかというとマルチネに近く、このふたつについては、〈対象照合性〉(=伝達)を優先させる。ぼくがいいたいのは、この両者に同じ資格を与えた〈コミュニケーション論〉の基本原理(理論モデル)が作れないものだろうか、ということである。つまり、欧米型も日本型も同じように〈コミュニケーション〉として含めうる理論構成の可能性を考えているところである。当然これは、ぼく自身の宿題でもある。

ところで、日本型の特徴を〈表出性〉にみるという考え方には、反論があるだろう。五島列島のばあいだって、明らかに〈伝達〉しているではないか。ある個人の考え方は、成員の何人かか全体にかに、伝わっているのではないか。タイムラグを考慮に入れれば、〈対話性〉すらあるではないか。たしかにそうだとは思う。しかし、ぼくは、現にコトバが発せられ、聞かれている〈場〉(=空間)を重視したい。〈コミュニケーション〉とは、この種の〈空間性〉（状況性といってもいい）の強いものと思うからである。その〈場〉での〈コミュニケーション〉の構造を問題にするところからしか始められないではないか、と思うからである。そして同時に、〈対話〉が成立する〈場〉も重要だと思う。西欧のばあい、〈対話〉は〈コミュニケーション行為〉とともにある。ところが、日本のばあい、〈対話〉は、〈コミュニケーション〉の〈場〉から自立した〈個〉の〈場〉で潜在的に、ひそかに進行する。かりに、〈コミュニケーション〉の〈場〉で、時間的に同時に進行することはあっても、〈対話〉はその〈場〉の〈コミュニケーション〉とはリンクしないし、けっして顕在化することはない。つまり、〈個〉の内面での〈対話〉でしかない。ぼくは、これもひとつの、そしてあの欧米流の〈コミュニケーション〉と並べうる〈コミュニケーション〉の形というべきなのだと思っている。ぼくがこのことにこだわるのは、欧米人と〈対話〉したときの息苦しさに比べると、われわれの〈対話〉の寛容さのようなものが、人間の〈コミュニケーション〉にとってひどく自然なものに思えるからである。同時に、意思決定への主体的参加ということを、ある限定された条件の下でどちらがより多く許容しうるか、ということを考えるからでもある。

　たしかに、彼我比べてみると、むこうはクールで乾燥しており、こちらは何やらうっとうしい湿度の高さのようなものを感じる。しかし、〈コミュニケーション〉への参加度をマクルーハン流に考えると、むこうがホットでこちらはクールといえないこともない。やはり、文化の質というか構造というか、そういうことが問題なのだと思う。われわれには、われわれなりのやり方がある……。

コトバの状況

ぼくは、このエッセイで答を出そうとは思わない。簡単に出るとも思えない。ただここで、〈表出〉とはどういうことだろう？　ぐらいは考えてみてもいいだろうと思う。マルチネ流にいえば、「うっ積した感情」をはき出すことである。いかにも西欧的というべきか。〈表出〉するものは、〈情緒的なるもの〉とは限らない。むこうはそうかもしれないが、五島列島の例にみるように、〈感性的なもの〉から〈理性的なもの〉までいろいろありうる。つまり、うっ積の爆発もあるし、この際ここでこのひとことだけはいっておかないとという判断だってあるだろう、ということだ。〈表出〉はこのように幅広いものを噴出させる。そうだとして、そこに共通にあるものは何だろう？　というのがここでの問題だ。結論を先に書いてしまえば、コトバを媒介にして、人間間の結合・対立・再結合に関心をもちつづけるのが欧米の〈コミュニケーション観〉であるとすれば、人間の作り出すコトバの状況（シチュエイション）（＝状態）そのものが〈コミュニケーション〉の〈場〉になるというのが日本型の特徴である、ともいえようか。こっちのばあい、〈対話者〉は後景にしりぞき、発言そのものと話者が関係をとり結ぶ。人間とではなく、ひとつひとつのコトバ・コトバの集積体、と相互作用する。だから、ある種のコトバは話者の人格をおおいつくし、人格の実像はコトバのかなたに消滅してゆく。ここで、コトバの物神性を指摘するのは容易である。しかし、コトバとは、本来こうしたものではなかったか。ともあれわれわれ日本人は、伝統的にコトバの魔術師であり、コトバで遊び、コトバと戯れることが得意であった。いや、もしかするとコトバや〈コミュニケーション〉を道具性のなかに密封したのは、西欧近代にのみみられる合理主義であったかもしれない。

五島列島の寄合も議会も演習室も、いうならば、非日常的な〈コミュニケーション空間〉であろう。政治や行政や研究などは、いつもわれわれにある種の緊張を強いる。その緊張にもかかわらず、われわれはそこにきわめて日本的な〈コミュニケーション習慣〉を見いだすことができた。ところで、日常的な生活の場で、われわれはどういう〈コミュニケーション行動〉をしているのだろうか。テレビのホームドラマは茶の間の実像だといわれた。たしかに、あのとりとめのなさは、われわれの日常性そのもののように見えた。しかし、ぼくが観察したわが家の茶の間は、ドラマ以上にとりとめのないものであった。その意味でドラマはけっしてリアルではなかった。もちろん、あのいくつかのホームドラマをけなしているのではない。ぼくは日本のテレビドラマを非常に高く評価している。いいたいのは、日常の会話は、書きコトバで再現するのが困難なほどにとらえにくいものだということだ。ただ口が動かされているというだけのものであった。したがって、それを文章化して書いたとき、異様な印象を与えてしまう。そのサンプルをひとつ引用してみよう。

『亜空間要塞』のなかの会話から

《「何か働いてたのは確実だな」

「だって仕事しなければ食えないし、その変な恰好からすると、チンドン屋か何か……」

「僕は調べた。妙な事件だからね。そんなおかしな恰好してれば、別荘へ着くまで人目にたっているだろうしね」

「歩いて来たの……それとも車で」

「歩いて来たんだろう。別荘番のじいさんが気づいた時は庭に立って海を眺めてたっていうし、車の気配もなかったって言うからね」

「その日、チンドン屋が歩かなかった。近所を」

……………

「チンドン屋チンドン屋って、何でそんなにチンドン屋にこだわるんだよ」

「だってそんな変な恰好……」

「下田と言っても白浜に近くてね。景色はいいけど淋しいところなのさ」

「で調べたらどうだった」

……………

「そんな中世風の衣裳を着た通行人なんて、付近の誰も見ていない」

「目撃者なしか」

「うん、そう。どっちから来たか方角さえ判らないんだ。うちの者たちはそれでも納得して、いずれ正気に戻れば判るだろうと言ってるけど、僕はそうも思えなかった。と言うのは、別荘に妙なことが幾つか起ってたのさ」

「どんな……」

…………≫

これは、半村良の『亜空間要塞』のなかの会話の多い部分から任意に抜いたものである。…………と書いたところには地の文がある。半村は、会話を活写する卓抜の能力をもっているが、それでも地の文なしには、状況の説明ができないらしく、二ヵ所ほど地の文を書いている。引用した部分でどういう状況かがわかるかどうかは、この際問題ではない。要するに、このとりとめのなさがわかってもらえれば十分だ。何人かが〈対話〉をしているので、それらしい書き方にはなっているが、かりにこういう状況で実際に行なわれる会話を再現すれば、これ以上にとらえどころのないものになるはずだ。ともかく、ぼくが感心するのは、会話者の親類にあたる人物の状態を説明するという明快な状況のなかでも、日本人の話し方がモノローグ的であり、しかも半村によってその様子が巧みにとらえられていることだ。やはり半村の一流の芸といわざるをえない。

いうまでもなく、日常会話の状況に近い会話のサンプルを提示したいというのが、これを引用した主旨である。そして、モノローグ的な発話が連鎖してゆくことによって、何人かが話をしているという〈コミュニケーション〉の状況が形成されてゆく過程を見ていただきたかったからである。さらには、個々の発話のとりとめのなさも、それが連鎖してひとつの全体をつくったとき――ひとつの構造体ができたとき――みごとに解消してゆくという事態のサンプルと承知していただければよい。

状況全体を自覚した表出

個々の発話はモノローグ的であり自己表出的であるが、もうひとつ気づくのは、個々の発話にある種のリズム――何やらのっている話の調子――があるということだ。そして、会話の第一義的目標とは関係なく、話者が自分の発話をそのリズムとともに楽しんでいるさまもよくわかる。しかもその〈表出〉的な楽しみが楽しまれながら、個々の発話が、全体、つまりひとつの状況としての〈コミュニケーション〉の形に有機的に組み込まれてゆく様子もよくわかる。要するに、これが〈日本型コミュニケーション〉の典型なのだ。自己の発話の完結性、他者との異同の自覚、他者の認識、自己を他者に認めさせる努力、などに関心をもつ前に、〈コミュニケーション〉という状況の全体的完結に、ほとんど無意識のうちに参加するのが、日本人の〈コミュニケーション行動〉の特質である。これを〈伝達〉といえるだろうか。ぼくは、状況全体を自覚した〈表出〉という概念が、この状態の特質をもっとも正確に示していると考える。

こうした〈コミュニケーション〉にかかわるわれわれの心性(メンタリティ)は、日常的な会話のなかにあるだけではない。新聞をよみ、ラジオを聴き、テレビをみ、漫画をみ、雑誌や書籍を読み、音楽を聴き、絵画を鑑賞するときにも働いているにちがいない。問題は、たとえばテレビをみるとき、この心性(メンタリティ)がどのように働くかをとらえることであると思う。ぼく個人としては、その作業を始めたところである。読者の諸兄姉に、ぼくと同じことを要求するつもりはないが、少なくとも、〈日本型コミュニケーション〉のこの大きな特質だけは考慮に入れていただきたいと思って、このエッセイを書いてみた。いくつかある参照事項のひとつに加えていただければ幸いである。

★参考文献

清水幾太郎ほか編『マス・コミュニケーション講座』全六巻、河出書房、一九五五年。
A・マルチネ、田中春美・倉又浩一訳『言語機能論』みすず書房、一九七五年。
E・ギロー、佐藤信夫訳『記号学』文庫クセジュ、白水社、一九七二年。
半村良『亜空間要塞』早川書房、一九七六年。

II 日本型組織の意思決定

三越株主総会の入口（1982年5月）

コミュニケーションにおける伝統と革新

組織とコミュニケーションの伝統

戦後、たとえば日本の村落は、町村合併を行ない、首長選挙、代議制を導入して、欧米流の近代的政治・行政機構の形式的な整備を実現したにもかかわらず、現在においても、伝統的な「寄合」が村落・集落の事実上の意思決定機関であるようだ。これは、近代的な企業体において、管理・統制機構がととのい、各レベルの会議が制度化されて、労使協議会といった調整の場が設定されているにもかかわらず、依然として、たとえば「根まわし」という言葉に象徴される各種のインフォーマルな組織や働きが実際上の機能を担っているのと、同断であろう。よく言われるように、労働組合ですら、この種のインフォーマルな働きなしに機能しえないのである。

いかなる組織（とその機能）にも、固有のコミュニケーションの過程が含まれる。西欧近代が、みずからに課した価値（理念）実現のためにつくり出したさまざまな集団・組織も、西欧に固有の伝統的な「話す文化」「話す習慣」の上に、組織目標に合目的的なコミュニケーションの仕組みを形成したにちがいない。行政府内の意思伝達・意思決定の制度、立法府における言論活動のルール、司法府における弁論行動のありよう、近代的企業体における意思決定のメカニズム、のいずれにおいても、ギリシア以来の弁論術、組織イメージが、痕跡をとどめている。その伝統から自由ではないのだ。そしてその上に新しい組織を機能させる原理とコミュニケーションのシステムをつくったのであった。欧米の場合、たとえばアメリカ議会における現実の討論の場や、企業体の組織と機能の実際からも明らかなように、ギリシア以来の伝統と新しい組織、言論・伝達過程を有機的に統合することに成功している――と一応は言われている。近代が自然発生的に形成された、ということである。

日本の場合――和魂と洋才

ところで、日本の場合はどうだったのか。幕末から西欧列強の強圧に開国を強いられ、いわゆる西欧化・近代化という「道」を選択する。しかし、日本とても「伝統」がないわけではない。いや、むしろ伝統は重かったのではあるまいか。和魂と洋才の間の亀裂と両極分解、近代化の跛行性、伝統と革新の対決のないままの併存等々は、近代日本の原罪とされているが、その併存という形は、モデルとなった西欧近代の原理と伝統的な原理の間の気も遠くなるような距離をどう埋めるか、根本的に異質な原理をどう接木するか、という難問に対する、ひとつの解答にちがいないのだ。その解答は、第二次大戦の敗北によって、いったんは痛撃を受ける。しかし、戦争の敗北が、この解答の誤謬を、必ずしも証明するものでないことは、われわれの戦後の経験と今日の日本文明（文化）のありようからも明らかだろう。

現に今でも日常的な生活文化（様式）から汚職のパターンに至るまで、われわれの文化と文明のいたるところに、伝統の原理とその表象と、西欧の原理とその表象との、併存をいくらでも発見できるのだ。いや、今では、もっと多元化した価値・原理・表象が、並存している。決定的に対決せず、統合への契機を欠いた、こうした併存・並存は、再び錯誤と悲惨の原因になるのだろうか。この問に対する解答は、予測を含まざるをえない。したがって、答は容易ではない。しかし、明治以来今日までの歴史をふりかえって、錯誤があったにしろ、併存・並存がひとつの事実であり、近い将来において事態が一変することもまずあるまい。

日本人の「話し聞く文化」

コミュニケーションの行動のありようも例外ではない。日本人も、語り、話し、聞き(聴き、あるいは訊き)、書き、読み、表現し、解読し、見て(覩て、あるいは視て)きた。そして、そのメディアとして言葉(言語)をもち、さまざまな記号を使ってきた。しかし、こうした、いわばコミュニケーションというしかない行動(メディアを含む)を総称する言葉(概念)をもたなかった。したがって、われわれは、「コミュニケーション」の適切な訳語を、少なくとも現在まで、つくれずにいる——そのせいか、いまやほとんど日本語になっている。たとえば、「伝達」では訳しきれず、「伝えあい」ではわれわれ自身の行動の事実から乖離する。欧米産「コミュニケーション」の基本的な概念内容は、日本人の話し聞く行為の本質と、正確に合致しないのだ。今、われわれは、「コミュニケーション」を訳出しないまま、しるしとしての「コミュニケーション」に、日本的な話し聞く行為の意味を含ませて使っている。したがって、「コミュニケーション」は、しばしば両義的にならざるをえない。本来の、欧米流の意味内容と日本人に独特の話し聞く行為を示す意味内容と。その両義性を誤解して、しかも本人が気がつかないという滑稽かつやりきれない実例は、たとえば、あのさかしらな「テレビ批評」というシロモノの中にいくらでも発見できる。

それはともかく、日本人の「話し聞く文化」の伝統は、今、なお、われわれの日常に強く影を落としている。その伝統を残しながら、他方で明治以降の日本人は、西欧産のさまざまなコミュニケーションの社会的仕組み、社会的組織、制度、装置、文化、文明を意欲的に導入し、開発し、洗練させ、そして利用してきた。その独特の併存のせいか、今では「情報化」という状況の中で、最も尖端的な社会的コミュニケーション文化・文明を形成しつつある。コミュニケーションの社会的・文化的装置は、社会的な各種組織・機構のみならず、ほかならぬわれわれの日常性の中にも深く浸透している。したがって伝統と西欧産の文明は、社会的・個人的コミュニケーションの構造と機能においても併存し、並存しているようである。このことは、一体、どういう意味をもっているのだろうか。

日本的コミュニケーションの原型

寄合の「コミュニケーション」

はなしを「寄合」のコミュニケーションから始めることにしよう。もちろん、「コミュニケーション」は、正確ではない。以下しばらくは、日本人の「話し聞く行為（文化）」を指示しているものとして使う。

共同体的でかつ共同性が強いと言われる村落といえども、あるいは数少ない同族集団からなる集落といえども、水の分配、共同作業の手順、耕地の区分、年中行事の役割分担と経済的負担等々、内部対立の契機を数多くもっていた。しかし他方、幕末に至るまでの支配層の苛斂誅求、明治以降の近代化の過程での農業生産物の収奪の中で、村落や集落は、外部に対しては、強い共同性、統合性、一体性を示さねばならなかった。「寄合」は、内部対立を極少化し、対立が表面化するのを防ぎ、共同性の毀損を回避するひとつの、しかし有力な方法であった。

「寄合」のコミュニケーションは、次のような手順で進行する。ある集落に、構成員の間で決して利害の一致しない問題が起こったとする。その課題には、ひとつの解答を出さなければならない。集落としての意思決定である。「寄合」の場に集合した構成員は、順に、自らの立場・利害を前提にして、自らの気持・考え・見解を吐露するが、ある立場の発言（者）とそれと対立する立場の発言（者）との間で、討論・論争はいっさい行なわれない。全員の発言がすむと、その日の「寄合」は終了する。何日かたって、また「寄合」が招集され、同じように、各構成員が発言する。対立は、いくばくか減少している。こうして何回かの「寄合」を重ねるうちに、利害対立が克服され、妥協点が明らかになり、一致点に到達する。討論も投票もなしに、ある意思決定が実現してしまう。これは、五島列島のある集落でのはなしであるが、おそらく、こうした利害調整の方法の基本的仕組みは、日本の村落・集落において、一般であったと考えられる。

外的モノローグと内的ダイアローグ

ここには、何が妥当な結論であるかを求めて、対立する見解を徹底的に討論（ディスカッション）させ、最終的には多数決によって決定し、その意思こそ理性の声であり、神の声だといういわゆる「民主的」討論・話し合いの原理は存在しない。一人ひとりの構成員は、ひたすら自らの考えを、さしあたっての利害対立の相手に対してでなく、「寄合」という場に向かって語るだけである。他の構成員は、その人物一個の考え・見解・立場として、反論することもなく、ただ聞いている。発言は、つぶやきであり、モノローグである。「寄合」の場は、ただ、モノローグが連鎖しているだけで、ダイアローグは、まったく存在しない。

しかし、次の「寄合」の場での各自の発言は、同じようにいくらか変移している。各自が、それぞれの見解・意見を修正してきたからである。修正は、個々の頭の中で行なわれたにちがいない。修正する手がかりは、「寄合」の場で聞いた他の構成員の発言（考え）であるだろう。ということは、実は、各自の思考の中でダイアローグが働いていた、ということになるのではあるまいか。もちろん、ここでいうダイアローグというのは、いささか比喩的ないい方であって、眼に見える形では、存在しない。見えるのは、モノローグだけである。しかし、機能的に見れば、「寄合」でのモノローグと、個人的な思考の中での他者の多様な意見との対話＝ダイアローグが結合している。いわゆる個人の信念と利害に基づく主体的な思考とその主張と、それを対決させるディスカッションとの機能的結合という方法とは、まったく逆の結合関係になっている——つまり、集団的な場でのモノローグ、個的な場でのダイアローグ。

寄合コミュニケーションの「合理性」

このコミュニケーションの方法は、すでにふれた日本の村落・集落の状態からすれば、目的合理的である。まず、対決的討論をさけているので、当該課題についての構成員の気持・考えのすべてを表明しやすい。後にくる対立や論争を慮るが故の、発言の自己規制をしなくてすむ。しかも、討議がなく優劣をつける術がないから、あらゆる発言が、価値的には平等に併置している。そして、すべての発言が、意思決定までの予備的、経過的、過渡的なものにすぎないから、結論が出た段階で、集団内部の決定的かつ致命的な利害対立の原因にならない。対立の解消・克服は、共同体的・規範的な強制が働いているとはいえ、個人の中で、個人の意思で行なわれている。他者の発言・意見・利害を多数決などによって強制されるわけではないのである。したがって、最終的な意思決定には、ほとんど同じ程度に、構成員すべてが参加し、しかも、その利害・思考が等しく反映している――と自覚できるようになっている。言い換えれば、対立した利害の均衡点・収斂点に到達したと考えられる最終的意思決定において、各自の譲歩・妥協の度合が平等である、ということだ。こうして、対立は止揚され解消され、村落・集落内に利害による亀裂が入らず、構成員の参加と譲歩の平等化が実現する。

要するに、「寄合」のコミュニケーションの構造は、幕藩体制までの日本農村という限定された状況において、「合理的」に機能していた、と言って過言ではないのである。

場に参加すること

この構造は、日本農民の生活防衛的、集団防衛的なチエの産物にすぎなかった、というのは速断にすぎる。大岡信が、『うたげと孤心』の中で明らかにしているように、芸術的な創造の場にも、この構造が、つまりモノローグの連鎖と、個人内部のダイアローグとの有機的結合の構図が成立していたのである。しかも、筆者の個人的な体験なのだが、戦前から戦中にかけて、農家のいろり端でも、モノローグの連鎖が確実に存在したのを目撃しているし、今日、茶の間やリビングルームでの家族の会話の中でも観察できる。つまり、この構造は、日本人の「話し聞く文化」のひとつの重要な特徴にほかならない、ということである。

ここで、構造の特徴として、もうひとつ付け加えておきたいことは、日本人にとって、コミュニケーションとは、話し聞くという形での他者との関係ではないということである。そうではなくて、個が、個的思考をもって、あるいは孤心をもって、「寄合」や「うたげ」という場に参加することなのだ。ひとの関係ではなく、ひと（自己を含む）がつくる場との関係なのである。この特徴は、いろり端、井戸端会議、家族の会話、友人とのおしゃべり、喫茶店での雑談、酒場での会話、そして、公的な場での討論にまで一貫している。

日本的な個の存在

さまざまな利害対立・意見対立が、集団内部においてではなく、個の内部において調整されているのだから、集団の凝集性は、外部から観察するかぎり、非常に強いし、個の差異が、換言すれば、いわゆる個性・主体性が見えなくなる。西欧的な意味での「個人主義」がない、といわれる所以である。しかし、個の内部でダイアローグすること、つまり、集団内の対立を個に内面化し調整をするという個の営みは、確実に存在する。利害と見解の対立は、二元的な対立にとどまらず、しばしば、多元的な対立であるはずだから、ダイアローグは、いわば多元的な他者との対話であり、したがって、調整とは多元的な利害・意見・価値の、妥協・統合であるだろう。おそらく、そこで人びとは、個と、信念・利害・立場・態度・思考・要求等との関係が、あくまでも相対的でしかないことを、認識していたにちがいない。それは、日本人において、あるいは日本文化という状況において、個も、個性も、主体性も、アイデンティティと言われているものも、所詮、相対的でしかない、したがって入換え可能なものだ、という認識である。この認識の構図は、儒教的な世俗の常識、仏教的な無限循環の思想と無常感、道教的な原理放棄と無限抱擁思想と、紙一重のところにあるのかもしれない。

それは、ともかく、個の信念と利害への徹底的な固執から生じた「個人主義」という形の自我の存在形態と、集団内や他者との利害対立を内的に調整しながら、価値的相対主義にいたった自我の存在形態を比べて、優劣を論じることに、どれほどの意味があるのだろうか。早い話、信念と利害への固執も外的強制のもとで行なわれたことは確実であるし、同じ程度の強制のもとで、日本的個我も、また、同じように主体的に、つまり自らの意志で、利害と見解の内的調整を繰り返してきたのである。初期条件としては、各個の利害と見解はそれぞれ相互にちがっているのだから、調整の仕方は、当然、異なったプロセスをたどらざるをえない。したがって、ダイアローグ・思考の過程はそれぞれ異なり、それ故に主体的であるだろう。ことによると、かつての日本のアイデンティティは、個への偏執にではなく、個的な調整の営みにあったのかもしれないのではないか。そして、違った経過をたどった結果が、つねに一致しただけのことなのだ。結果としての差異が見当たらないからといって、個の主体性が存在しない、とは必ずしも言えないだろう——もちろん、主体性の定義にもよるだろうが。

伝統と外来の併存

明治維新以後、近代化の中で、村落も集落も変容を余儀なくされた。「寄合」との関連で言えば、政治的・行政的・思想的支配の末端組織としての政治的・行政的な意思決定機構がつくられた。役場ができ、村議会ができた。教育機関もできた。これらは、村落社会の管理と統合にある役割を演ずることになるのだが、「寄合」という組織・機能を排除しなかった。あるいはできなかった。むしろ、「寄合」の組織・コミュニケーションのメカニズムを利用することによって、実際に機能してきたのである。伝統的組織・コミュニケーションと、外来のそれらを、併存・並存させてきたのである。

村長や議員の候補者の決定や、村行政における意思決定に至る過程等々で、「寄合」における話し合いが、つねに重要な前提となっている。つまり、実質的な決定は、「寄合」で行なわれ、選挙という制度、村長や村議会の決定行為は、たてまえであり、儀式であり、形であった。いわば「寄合」のもっていた形式的機能を外来の制度に移し、その実質的機能だけを残す、という形にしたとでも言えようか。これもまた、和魂洋才の典型である。両者の関係は、併存ではあるが相補的であって、決して亀裂が入っているというようなものではなかった。この伝統と外来の関係図式は、とくに農村部において固定的であって、首長がいかなる党派に属していても、村議会の党派別分配がどうなっていようと、人びとの生活にほとんどちがいがない。「寄合」の共同性の前で、党派性は立ち止まらざるをえないのである。「コミュニケーション」は、「話し聞く文化」である。政治的イデオロギーと党派性も、この「文化」を前提にせざるをえないのであり、まして、その変革など、今に至るも実現していない。

政治的・行政的意思決定の過程

日本的集団としての藩閥政府

村落や集落には、「寄合」があった。村落の行政・政治が、そしてその意思決定が、実質的に「寄合」に依拠していたことはすでに指摘したとおりである。

では、国レベルの政治・行政においてはどうであったか。たとえば、「藩閥政府」という言葉があった。これは、共同体的・村落的・寄合的、したがって伝統的な組織をインフォーマルに含む行政・政治機能に与えられた名称であるだろう。政治的・党派的・思想的対立者に対して、もちろんしばしば弾圧を試みながら、他方で、その懐柔に異常な関心を示し、実行に及んだのも明治政府である。したがって、藩閥的体制は、仲間うちで利害を独占するという動機によるものではなかったにちがいない。国レベルの行政・政治においても、「寄合」的な組織とコミュニケーションと意思決定という補完的メカニズムが必要だったのではあるまいか。そして、「寄合」的なものを含むが故に、「藩閥政府」と言われざるをえなかったのではあるまいか。

言論の府の形式性

代議制、民主制、理性的な討論、立法府の権威が、今日の欧米社会で、どこまで機能しているか、にはおそらく検討の余地はあるものと思う。しかし、国会における本会議、委員会、証人喚問、公聴会の彼我の比較をしてみれば明瞭なように、彼において言論の府であることはうなずけるのだが、我においで、はたしてこれが、そういってもよいものかどうか、たしかに疑問である。質問し追及する側は、しばしば拙劣であり、答え応じる側は、つねに欺瞞的で不誠実であり、討議の過程は意思決定にたどりつくための実質的な内容をほとんど欠いている。つまり、本来の意味のダイアローグがない。と同時に、討論(ディスカッション)の場にいるという自覚と責任意識がなく、言論の府は、実質的な機能のみならず、権威をもたない。喚問される証人は、態度・物腰はともかく、その発言内容において、言論の場を軽蔑している。まして、当事者においてをや。

言論の場のモノローグ

こうして、今日に至るまで、立法府におけるコミュニケーション=言論活動——ここでは本来のコミュニケーションの意味——は、その実質的機能を実現しないままに終わっている。外的モノローグと内的ダイアローグというコミュニケーションの構造特性と、欧米的コミュニケーションは、本来、異質のものである。討論の場でのダイアローグの形成は、日本的伝統の延長線上には、本来不可能なのであり、伝統の徹底的な清算と、意識的・自覚的なダイアローグ形成の試みがあってはじめて、公的な場でのコミュニケーションが、実質的な機能を獲得するというのが理屈であろう。能弁家による、歴史に残る名演説がいくつか残されているが、それらが、公的な場、たとえば立法府における討論の新しい習慣をつくったわけではなかった。演説は、ひとつの表現行為として、あるいは作品として記録されるにとどまっており、いわば、偉大なモノローグにすぎなかったのだ。

公的な場での討論は、形として見るかぎり、「寄合」のコミュニケーションと同じである。その伝統の中にいる当事者の多数は、モノローグのぶつかりあい、答弁になっていない答弁、無責任・不誠実な発言、総じてダイアローグの不在を、ほとんど気にしていない。したがって、そこに責任や権威が発生するわけがない。こうして、公的な場での会議、立法府の討論は、儀式化してしまった。当事者は、儀式の成立に全力を傾け、時には血道をあげる――審議拒否や妨害や阻止、そして強行採決による野党の点数かせぎ、保たれたメンツ、儀式としての時間経過をへて法案その他の事実上の承認・成立、等々。もちろん、儀式化にも意味はあり、利用価値もある。しかし、たとえば、儀式化が悪用されると、いっさいの妥協を拒絶する――本来の多数決原理の否定――といった、逆機能が起こってしまうのだ。これは、多数の専制であり、少数派の責任・義務放棄にほかならないのだが、儀式の手順をふんでいるかぎり、すべて免罪される。「寄合」では、こうした逆機能が注意深く回避されていた。

討議の儀式化を補完するインフォーマルな組織

こうした合目的的、形式合理的、単一機能組織・集団の機能が形式化・儀式化し、たとえば立法府ですら討議を儀式化してしまっている状態は、近代的組織の未成立、組織運営の未成熟、近代政治原則の不確立ということを意味しているかもしれない――少なくとも、「近代」の立場からはそうであろう。しかし、わが国の政治過程が、そのために完全に機能障害におちいり、限定された集団の利害や要求によってつねに恣意的に操作されているとは断定できないことも、また事実なのだ。

日本において、利害・エゴイズム・対立の調整としての「政治」は、「寄合」に代表されるインフォーマルな組織とコミュニケーションによって、事実上、機能化してきた。維新以後、インフォーマルな組織とはまったく関係ないフォーマルな政治機構が据えられ、すでに指摘したように、伝統的な方法との有機的な接木の試みもないままに、儀式化し、実質的な機能を失ってしまった。「藩閥政府」は、その機能障害を補完するためのひとつの形態であった。「御前会議」、「元老院」、「待合政治」もまた、儀式・形式の硬直化を緩和する形態であり、機能にほかならない。そして、今日、議会運営の、主として与党側の実質的な方法は、野党勢力、与党内反対派との人脈・パイプの形成、事前のいわゆる「根まわし」、その他儀式を成立させるためのさまざまな予備手続からなり、その過程で、反対勢力への、「寄合」の場合よりはいくらかどぎつい説得・恫喝・慰撫・懐柔・譲歩・交換条件の提示・妥協が、辛抱強く繰り返され、暗黙の妥協点に到達する。その間、外部勢力、プレッシャーグループ、利害関係のある組織・集団との接触も何回か試みられ、これまた暗黙の了解がとりつけられる。公的な場は、この妥協点の形式的追認をするだけである。形式化・儀式化と言われる所以である。

妥協に至るまでの過程は、言うまでもなく、すべて「話し合い」である。しかし、ここでも「寄合」のコミュニケーションの原理は効いているのである。つまり、いわゆる討議が行なわれるわけではなく、利害・見解・要求をぶつけあうけれど、それはひたすらにモノローグであり、出身の集団に帰っては内的なダイアローグ——「寄合」の場合の、家へ帰ってからの個の内的ダイアローグに対応——を行ない、修正をほどこした新しい見解・要求を、あらためて出し合うという、モノローグとダイアローグの連鎖が機能している。

インフォーマルなコミュニケーションの実質的機能

「根まわし」と、人脈・パイプと、「寄合」的コミュニケーションは、儀式化せざるをえない公的な場の機能障害・逆機能を補完するものではあるが、他面では、儀式化・形式化を促進させるものでもあるだろう。したがって、公的な討議を実質的に機能化しようとする立場からは、承服できないインフォーマルな過程かもしれない。しかし、少なくとも今日の立法府というのは、かりに権威をもち、当事者が良心に従って発言し行動し、本来の意見の討議・ダイアローグが成立していたにしても、つねに、硬直化し、ひいては儀式化する宿命を負っているのではあるまいか。しかも、これは、われわれの立法府に限らないのではあるまいか。むしろ、のっぴきならぬ対立のほうは儀式化し、相対化し、非実質化し、いくつかのインフォーマルな仕組み・組織を、周辺に配置し、機能させることによって、公的な場の運営の硬直化が回避され、対立の絶対化が防げるのではあるまいか。

つまり、インフォーマルな場において、モノローグという形であれ――そのほうがいいやすいことはすでに指摘した――、すべてを主張し、自己修正を繰り返しながら妥協点を模索する方法は、事実上、意思決定プロセスを柔軟化してくれるのだ。

日本的集団主義の挑戦

ホンネは暗黙の了解で確認されており、公的な場での意思決定への対応における対立は儀式であり形式でありタテマエにすぎない、という図式は、伝統と外来の制度の、まさに、併存であり、一元論の伝統を担った西欧的合理主義からみれば、異様な景観かもしれない。言うまでもなく、最終的に意味をもつのは、必ずタテマエでなくホンネであり、意思決定における儀式的な対決はいつか消滅し、暗黙の了解、事実としての妥協点だけが見えてくる。本質の対立は、個の内部で、インフォーマルな組織のレベルで内攻しているという事実は、少なくとも、外部からは見えない。まして、個の内面に展開されるダイアローグの差異、したがって個性・主体性・アイデンティティなど、見えるわけがない。こうした一元的合理主義からは理解しがたいありように対して、「日本株式会社」「日本的集団主義」という汚名――と言うべきだろう――がきせられるのは当然であり、われわれにとっては避けがたい宿命なのかもしれない。

しかし、問題は、個と集団との、公的なものの機能と私的なものの機能との、関係のありようの違いにある。あるいは、モノローグとダイアローグの成立する場の違い、両者の関係の違いにあるのだ。個の営みのベクトルが外側へ向いていて可視的であるか、内側を向いていて不可視であるか、の違いとも言えよう。「寄合」以来今日まで、日本人の個も、内攻的であれ、主体的な営みを繰り返してきたと言ってよいのだ。個は、やはり実在したのである――欧米のそれとはまったく違った形で。しかし、この個の存在形態は、西欧の個人主義的合理主義者に奇異な印象を与え、本来の近代化を志向する日本の知的エリートを苛立たせた。日本的な個は、西欧的な個人主義の形態はとりえないし、その個を起点にして、封建遺制が克服され、近代化が実現するとは考えられなかったからである。

ところが、一九七〇年代になって、日本的な個と集団の関係は、社会システムの運用と維持能力、経済的な成長力などにおいて、西欧的な個と集団のあり方、つまりは個人主義を、凌駕しはじめたのである。はからずも個人主義を普遍とする信念への挑戦という結果になった。西欧のエリートも苛立ちはじめたのである。「日本的集団主義」とは、日本的な個と全体との関係を貶価するための蔑称であり、苛立ちの表現にほかならない。内外のエリートの苛立ちを緩和するために、われわれは、伝統的な個と集団の関係、したがって「話し聞く文化」の伝統を組み換えねばならないのか。そして、それは、はたして、可能なのだろうか。

企業体における意思決定の過程

官僚制と経営家族主義

立法府・行政府がそうであるように、企業体もまた、日本人にとっては、外来の新しい組織形態であった。明治期の欧化の大波の中で、少なくとも「富国」を担うべく、数多くの企業体が出現したが、その形式的・表層的組織形態は、導入した工業技術とともに、「洋才」に相当するものであった。列強の強圧のもとで、この組織を働かせながら、「強兵」とともに、「富国」、つまり社会的・国家的な富の生産に狂奔した。当然、企業体を機能させるための欧米流の官僚制的・合理的組織を、形式的にではあれ整備せざるをえなかった。

しかし、この場合にもその組織の内部に、もしくは裏側に、かつて「経営家族主義」と呼ばれた独特の日本的インフォーマルな組織・機能を組み込まねばならなかった。作業単位の「長」は「おやじ」と呼ばれ、「ウチの会社」「ウチの課」「ウチの部長」……といった名称は、今日においても生きている。この家族をモデルとした組織原理は、国家から企業の末端に及んでおり、組織を凝集化・統合化する独特の方法的基準ではあったのだが、それ故にというべきか、近代的な個と国家とのあるべき関係の形成を妨げ、労使の対立関係を隠蔽し、正常な労使関係の形成を阻害し、したがって総じて、日本社会の近代化の最大の障害であるとされてきたものである。

ある面で、この指摘は正しいだろう。しかし、このインフォーマルな組織もまた、産業官僚制という形式的・合理的組織が含み込まざるをえなかった「寄合」の変形にほかならなかった。近代的企業体の中に半封建的親分子分関係を温存し、資本の搾取を促し、近代化を阻害したとは、あくまで結果論である。原因をさがしていたら、そこに行き当たったみたいなものだ。近代的組織の内部に「寄合」的インフォーマル機能を持ち込まざるをえなかったのは、組織を機能化するために必然であり、伝統と近代の結合にしか方法のなかった日本近代の宿命であった。必然であり宿命であったことは、「民主化」が進んだ戦後においても、家族的・共同体的インフォーマル組織・機能が残存し、あまつさえ、資本の論理、体制の論理に対抗するべき労働組合・民主団体・政党の内部にも発生し、かつ機能している事実からも明らかであろう。

官僚制的組織の形式的整備

産業官僚制は、行政府のそれのごとく、形式的には完璧に整備された。就業規則、服務（職場）規律は、これも形式的には、厳格に順守されてきた。今日においても、たとえば製品企画から製造の実施、販売・宣伝政策、そしてその実現に至るまでの全過程において、官僚制的・合理的組織は、いささかの歪曲も遅滞もなく機能しているようにみえる。立法府・行政府の公的な組織の儀式化・形式化とは、この点で、若干おもむきを異にしている。各級・各段階での課題の検討は、必ず実質的内容をともない、決定事項は、官僚機構を経由して当該各部局に伝達され、組織全体を機能化している。さらに、ブレイン・ストーミングなど、「寄合」的コミュニケーションとはまったく異質の討議形態をも、官僚的・形式的組織内に組み込み、活用している。加えて、たとえば社員研修の機会には、対立的な課題を設定して、ダイアローグ的討議の試行が実施されている。企業内には、欧米産の合理的・官僚的組織が、いくばくか、日本的に修正されながら、事実上定着し、実質的な機能を果たしつつあるといえる。

合理的組織のなかの「寄合」「根まわし」

しかし、他方、この合理的組織の中でも、インフォーマルな組織・機能、「寄合」的コミュニケーションが、依然として一定の役割を演じている。形式的組織の機能を、たんに補充するだけではない。実は機能の活性化と実現は、各種「寄合」的機能・コミュニケーションがあるからこそ、可能になっているのである。各級・各段階・各部局でのフォーマルな意思決定の過程には、ほとんど確実に、その裏側にはりついているインフォーマルな組織におけるコミュニケーションと意思決定が前提されている。「根まわし」もまたしばしば意思決定に不可欠であり、組織が巨大化したときに必然的に発生する――「寄合」的伝統と関係があるのだろうか――学閥・閨閥・派閥がつくるダイナミズムの中での意思決定には、人脈をたどり、パイプを通じさせ、「寄合」的会合、「根まわし」というコミュニケーションの手続が不可避なのである。

このようにして、合理的組織の裏側に縦横にはりめぐらされたインフォーマルな「寄合」的コミュニケーション・ネットワークが、フォーマルな組織の実質的機能を、現実に保証しているのである。両者の関係は、前節でふれた立法府の場合に比べれば、より密接であって、まさしく機能補完的であり、したがって、フォーマルな組織の儀式化・形式化の度合は、その分だけ低い。

稟議制度と提案制度

各段階・各部分において、煩瑣なほどに会議・討議の場が重複し、加えてブレイン・ストーミングまで制度化されているにもかかわらず、「寄合」から距たること遠いこれらの場では、企業体構成員の発言が十分になされるとは限らず、企業目的達成に必要な全コミュニケーションが実現するわけではない。その不足分は、たしかに、「根まわし」的、「待合」的、「寄合」的インフォーマル・コミュニケーションで、ある程度補えるかもしれない。しかし、これだけではひとひととの直接的な対話をきらい、モノローグを繰り返しながら、思考し意思決定をするという日本人の「話し聞く文化」の伝統にとっては、まだ、不十分のようである。

たとえば、稟議制度とか提案制度は、フォーマルな組織に有機的に組み込まれた、もうひとつのコミュニケーションの形態であろう。対面してギリギリまで討議し対立を顕わにすることを好まない日本人、さまざまな利害や見解を内的ダイアローグで比較し較量することに習熟している日本人にとって、一方通行的で、モノローグ的で、立場・見解の違いが顕在化しにくく、顕わになっても解消が容易で、しかも対立が属人的にならない、この日本的コミュニケーション制度は、われわれの体質と生理、なによりもまず、「話し聞く文化」の伝統にかなっているといってよい。稟議制度は、欧米流の組織原理では不十分なところを補って組織内コミュニケーションのある部分を潤滑させ、提案制度は、フォーマルなコミュニケーション制度では充足されないわれわれの伝統的コミュニケーションを生かしながら、企業構成員の潜在的能力をひきだし、組織に対するロイヤリティを高める。この制度は、一面では対立を潜在化させ内攻させてしまうわけで、何やら日本的な陰湿さを連想させるが、他面では、利害や見解の対立を相対視し、内的な調整で対立を解消させてしまう日本人の恬淡さ、クールさをも感じさせる。利害・見解に対する固執の仕方の違い、組織の内部対立を処理する方法の違い、モノローグとダイアローグの機能連関の違い、これらの違いは、彼我において明らかである。文化・伝統から、なかなか、自由になれないのだ。局部的には、有効・無効の差があるかもしれない。しかし、欧米数百年、日本百余年の近代化の歴史を、今日の時点で比較するかぎり、目標の実現においていずれが合理的であるかをにわかに決めがたいことは、すでに指摘した。文化の違いを過大視することも過少にみつもることも意味がないし、時には危険でもある。

しかし、企業体において、フォーマルな組織がいかに整備されていようとも、組織に有機的に結合しているインフォーマルな仕組みやコミュニケーション・システムを抜き取ったり、機能を停止させてしまえば、やはり、表（おもて）の組織は動かなくなるだろう。

日本的組織は風通しのいい「すだれ」

かつて、日本的組織のコミュニケーション・システムの特徴として、上意下達、下情上達、ということが指摘された。幕藩体制下の階層構造においてそうであったろうし、明治以降、各種組織にこうした特性が温存されてきたこともたしかだろう。しかし、すでに「寄合」的コミュニケーション・システムには、そうでないメカニズムが含まれていたし、稟議制度・提案制度や「根まわし」「人脈」「パイプ」等々が機能化している事実は、フォーマル・インフォーマルな組織内のコミュニケーション・ネットワークで、意や情や知が、多くはモノローグ連鎖という形で、下達・上達するだけではなく、フォーマルな制度の枠を超えて流通していることを物語っている。つまり、ある意味では、日本的組織は、大変に風通しがいいとも言えるのである。コミュニケーション・バリアはないわけではないが、それは決して壁ではなくすだれである。欧米流組織には、また別な意味での風通しのよさがあるだろう。しかし、両者の得失は、しばしば言うように、決めがたい。ともあれ、日本的組織・集団のもつさまざまの属性を、単純な価値基準で評価――しばしば断罪してきたのだが――するのは、事実と抵触するだろう

コミュニケーションの二重性

フォーマルな組織とインフォーマルな組織の独特の結合、欧米的コミュニケーション・システムと

「寄合」的なそれがつくる独特のネットワークは、われわれの社会において普遍であって、企業と対抗関係にある労働組合組織にも、まったく相同の構造がある。形式的意思決定の前には、おびただしく積み重ねられる「根まわし」「フラクション会議」が必要だと言われている。労働問題の事情通は、キメテはつまるところ「根まわし」だけだ、と強調している。とはいえ、このことは、労組のありようを貶価することにはならないだろう。労組といえども、われわれの文化・伝統から自由ではありえない。無視すれば、報復され、機能の停止を余儀なくされるのだ。こうしたコミュニケーションの二重構造は、日本社会の全体に遍在しているのである。亀裂がはいっているとされた和魂と洋才の二重性は、併存させられながらも、他面では統合的な構造として、つねにある種の有効性をもってきたのであった。

ノンバーバル・コミュニケーション

ここでは対象をバーバル(言語的)なコミュニケーションに限定した。しかし、すでにして「寄合」的コミュニケーションにも明らかなように、「以心伝心」「腹芸」「いわず語らず」「寡黙」等々の、ノンバーバル(非言語的)なコミュニケーションこそが、日本的コミュニケーションの有効性の極意であり、コツであった。したがって、逆に言えば、臆測、洞察、深読み、裏読み、忖度、解読、解釈等々、あらゆる想像能力が必要なのである。

一般的に言っても、ひととひととが対面しているとき、まなざし、表情、身振りは、情報量豊かな記号なのだ。日本人は、対面した時の空間感覚を含めて、こうしたノンバーバルな記号の解読にたけ、この種の記号の含意(コノテーション)を洞察する感受性・想像力においてすぐれている。日本人の表情の乏しさは、この豊かな想像力と関係があるのかもしれない。それはともかく、ノンバーバルな記号が、モノローグ的コミュニケーションを補完していることは事実である。その場合に、ノンバーバルな記号は、モノローグ性をさらに強化しているのか、それともダイアローグ的機能を果たしているのかは必ずしも明らかではない。とはいえ、「寄合」を含むさまざまな組織内で、服装、態度、物腰、化粧から表情に至るまでの記号、ないしは記号的なもの、が、インフォーマルなコミュニケーション過程で重要な役割を演じ、フォーマルなコミュニケーションの過程にも、少なからざる影響力をもっていることを忘れてはならないだろう。いずれも、きわめて表現的・モノローグ的である。もちろん、ノンバーバルな記号も規約的であって、その意味作用は規範的である。しかし、西欧的対話を媒介するものではなく、日本的なコミュニケーションの構造の中にあって、無視できない役割を演じているのである。

★参考文献

稲上毅『労使関係の社会学』東京大学出版会、一九八二年。

G・C・ホーマンズ、馬場明男・早川浩一訳『ヒューマン・グループ』誠信書房、一九五九年。

内川・岡部ほか編『講座 現代の社会とコミュニケーション』第四巻(情報と政治)、東京大学出版会、一九七四年。

高木教典ほか編『講座 現代日本のマス・コミュニケーション』第二巻（政治過程とマス・コミュニケーション）、青木書店、一九七二年。

中野収「日本型コミュニケーションの特質」、早川善治郎・津金澤聰廣編『マスコミを学ぶ人のために』世界思想社、一九七八年（本書第I章参照）。

III　現代人のコミュニケーション行動

ビートルズの日本武道館での公演（1966年6月）

現代の文化状況

新しい政治的激動

一九六八年から七〇年にかけて、先進資本主義諸国が、ある意味で、新しい政治的激動にみまわれた。この激動には、今までの政治・社会運動にはみられなかったいくつかの特徴があった。とくにわが国の場合を考えて、それらを列記すると次の通りである。

(1) 運動主体がかかげていた目標がほとんど実現しなかった。つまり攻撃対象の側には変化らしきものはみられない。

(2) 運動は体制（エスタブリシュメント）の全面否定から出発し、運動主体を否定し去るという独特の論理（ロジック）をもっていた――自己否定。

(3) この運動には、また、独特の意匠がまといついている。運動主体の意思を象徴するアクセサリーが非常にたくさんあった。ヘルメット、角材、爆弾、そして服装。これらは、実は主体の感性の表現であった。

(4) かかげられたテーマの重大性からすれば、短期間に運動が終息したことも従来の常識では考えられないことだ。しかも運動主体は今や大量に変身――挫折ではない――を遂げ、体制内に安住しているかのようだ。

(5) 運動の総括にも特徴がある。多くの周辺の知識層が、自己の解剖を試み自己解体を遂行し、その経過を告白し、何人かは社会的転身を敢行した。運動主体が闘争の勝利を語ることは少なく、批判はより多く自己に向かい、実際の総括は宗教的秘儀にも似ている。

これらは、だれの眼にも映っていた否定しえない事実である。もちろん、これ以外にもいくつかの特徴はあった。ある意味では語り尽くされたといえないこともない。しかし、あえて以上の五点をあげたのは、あの運動について誤解が多すぎると考えているからだ。それらの誤解を修正するためには、少なくともこの五点についてあらためて考えてみる必要があると思う。

そこで誤解を多少とも修正するための〈仮説〉を組み立ててみようと思う。見落しがあり、誤解が生まれた点にこそ、これらの現象の本質をとくキイがあると考えられるから。従来、文化の重要性はしばしば指摘され、社会学の伝統のなかにも文化社会学があり、社会科学のなかで全く無視されていたとはいえない。とくにマス・メディアの成立以降、記号化された文化が大量にコピーされるようになって、文化に対する言及はたしかに増加してきた。大衆社会論にとっても、大衆文化論が不可欠の成分とされている。いうまでもないことだが、この場合、文化は、文化の危機として語られている。文化の危機とは、単に名画・名曲・名作が大量にコピーされ、芸術の〈アウラ〉が崩壊する危機を意味するだけではなく、芸術・科学からはじまって社会的制度・規範・生活様式そして社会意識までを含んだ、いわゆる文化総体の変容も含んでいる。こうして語られた文化も、所詮は、政治・経済にとってはあくまでも従属変数であって、その独自性とは相対的なものにすぎなかった。政治・経済が変われば、文化も変わることになっていた。したがって、政治的・経済的世界において、文化は、普通第二義的な意味しかもたないことになっている。文化とは政治・経済の結果であって原因ではない。すべての人間行為が政治・経済的な意味をもつという命題は、政治・経済とは最も包括的概念であることを意味し、文化は政治にまるごと含まれねばならない。六〇年代の前半までの社会的諸現象には、だいたいこの命題が適合していた。

ビートルズ旋風

ところが、六〇年代の前半から様子が少しずつ変わってくる。最初に書いた例の運動との関連で考えると、たとえば次のような事実に着目すると面白い。第一には、あくまでもいいいいものとして、六三年からはじまるビートルズ旋風を指摘したい。これは、流行の最も典型的な例として、そしてノンクラシック部分に現われた音の冒険とその成功例として、あまりに多く語られすぎたきらいがある。しかし重要なことが見落とされていた。あれだけ短時日のうちに、ブームが全世界に波及したのは何故か。英国の地方都市で結成された、どこにでもいる若者のグループが、世界の若者をとらえたのは何故か。そして世界の各地で演じられたビートルズと若者たちのあの濃密なエネルギーの交流・爆発は、どう理解したらいいのか。わが国の流行歌を含めて、歌の世界にかつてこれと似た現象がなかったわけではない。しかし、全世界をまきこんだ空前のスケールと、演奏会のたびに放電された電圧の高さにおいて、ビートルズは絶後であったろう。

この旋風を考えるばあい、まず忘れてはならないのは、オーディオ技術の進歩だろう。録音技術と再生技術、およびそのための諸装置が発達し進歩し、大量に生産され、安く入手できるようになった。レコード再生装置というコピーと伝達と再生のための手段なしに、ブームはありえなかったろう。しかし、それだけではない。いつの時代にも若者のなかには、相当量のエネルギーが蓄積されている。六〇年代の特徴のひとつに、このエネルギーが体制（エスタブリシュメント）の用意したチャネルを通じて放流されることを拒否するようになったことがある。若者は体制そのものを嫌悪し、体制を拒絶し、体制が用意したものとは異質の自分たち自身のエネルギーの放出の場を求めていた。ビートルズが適切なチャネルであったかどうか、わからない。しかし、確実にいいうるのは、先行世代がビートルズのあの異様なファッション――音そのものだけでなく、あの服装、あの髪の形――を冷視していたことが最大の理由になって旋風がまきおこったことだ。それに、六〇年代に入って、戦後世界は終焉し、世界の各地で終焉を契機としたさまざまな葛藤がくりかえされていたにもかかわらず、先進国はある種の「安定期」に入っていた。つまり、社会的テーマが見失われ――喪失したといったほうがいい――、国家的ゴールと個人の志向する価値との一体性の崩壊が決定的な段階に到達していた。価値は多元化し、その普遍的な実現回路を見失い、その分だけ、精神の内部におけるエネルギーの蓄積量は増大していた。この事態はとくに若者のところに顕著であった。こういう状況のところに実にタイミングよく現われたのがビートルズであった。蓄積されたエネルギーは奔流のように噴出した。既成の流出回路は無視された。規範も慣習もモラルも無視された。新しい回路が見出されたことは、新しい部分文化の形成を意味していたのだ。

テレビとの共生

第二に、先進諸国に見られた共通の現象に、テレビの普及がある。日本人ほどテレビをよくみる国民はないという。たしかにそうだが、アポロやオリンピックが同時に何億もの人間に見られていたことも事実だ。みていたのは、もちろん日本人だけではない。日本人だけが、ヘビー・ビューアーというわけでもあるまい。さらにテレビは厖大な情報量を茶の間に運びこんだといわれるが、同時に、その間に、茶の間の家具のひとつになった事実を忘れてはならない。生活環境の不可欠の構成要素になった。このことはテレビ普及国に共通にみられる現象だろう。テレビ映像がみているものをすっぽりつつみこむなどということは、ある時期のある世代にありえたとは思うが、全体としてみれば、人びとは実に気軽にテレビをつけている。何かをしながらみている。生活の伴奏として、行動のリズムとして、あるいは通奏低音として、テレビは茶の間にあるにすぎない。こうしてテレビ以前にはありえなかったことだが、人びとは今、茶の間でこの新しい情報形式と共生状態に入った。こういう共生という形の情報とのおつきあいの仕方は、とにかく新しい。今までにはあまりなかったことといってよいのではないか。

さらにテレビにはもうひとつのユニークな働きがある。テレビ画像がひとつの抽象であり、いつも全体の部分を再現しているにすぎない、とよくいわれる。たしかにそうだろう。しかし、他方、ある種の社会的イベントの伝達の場合には、みているものをいきなり事件の核心にひきずりこむ。たとえば北京での毛沢東とニクソンの握手（一九七二年）。ニクソン訪中の歴史的・現代国際政治的意味をこれほど象徴的に示した映像はない。国際政治にかかわるすべての事柄は、あの一瞬で了解可能になる。新茶の間のテレビに同時に映っていたことを含めて、テレビの機能を実に端的に示した例であろう。新聞・雑誌・写真・映画の時代にはありえなかったことだ。事件（イベント）↓媒体↓視聴者の三項関係に新しい様相が加わった。媒体が事件をつつみ、視聴者はいきなり事件の核心の部分にほうりこまれる。客観的には空前の規模の情報空間の形成であり、より主観的にいえば、人びとの想像力空間の拡大である。そして肝心なのは、こうした新しい情報・意識空間に最もインティメイトなのは若者たちであったことだ。もちろん、より上の世代もこの事態と無関係ではないはずだ。

政治的文法の無視

最後に指摘したいのは、六〇年代の半ば頃から顕著になり出す左翼思想の分化とそれにかかわる諸現象である。中ソ対立を直接的な契機にして、自主独立、旧左翼の破産、新しい革命性の回復など、さまざまのテーマをかかげて左翼の再出発がはじまる。こうした左翼思想における価値の多元化と既成秩序に対する嫌悪感が微妙に共鳴し、このことと政治的・社会的イッシューにおけるイデオロギー機能の後退とが表裏一体をなして、六〇年代後半の思想状況が進行する。この状況の主役もまた若者たちであった。かれらにとって体制に反抗し叛逆する思想的原点は必ずしもマルクス主義ではなく、運動の形態においても従来の政治的文法を無視してしまった。こうして、社会的・政治的・文化的な行動様式は従来のパターンを否定し、新しいパターンを創造していった。

政治と文化の逆転

以上三点を総合すると、意識と想像力と行動の新しい空間が生まれたとしてよいのではあるまいか。この傾向は、主として若者の層に顕著に現われているが、最近は、若者にのみ限定できないことを思わせる事実があることも指摘しておきたい。連合赤軍事件、高松塚古墳、浅間山噴火の現場に人びとがどっとくり出してゆき、男子バレーボールが優勝すれば、写真集を胸に抱いた少女たちが、ウツロな眼をして体育館を取り囲む。物見高いなどといってすませられる現象ではないはずだ。とにかく、六〇年代末からの運動は、蓄積されたエネルギーが新しい回路を模索しながら、嫌悪感の対象めがけて噴出したものであった。その意味で、あれは、体制に不満をもつ厖大な人口層の、先進的部分の表現行為であったともいえる。だから美的創造における表現行為と多くの共有部分をもっている。表現行為は、行為自体が自己目的化しているから、その結果にはほとんど関心をもたない。攻撃対象に変化が起こることなど関心の外側にあったのだ。そして美的表現行為だからこそ、純粋性を保持しなければならず、したがって対象の全面的否定——行為の至上性はそれと逆数関係になっている——と、創造主体の自己否定へと飛翔することになる。また表現行為であるが故に、その一回性こそが重要であり、短期間に運動は終焉しなければならなかった。つまり、一連の運動において、その政治的価値と文化的価値の序列が、従来の常識を破って全く逆転してしまった。政治的価値・意味は、文化的なるものに従属することになった。こうして文化の新しい地平が開拓されていった。それは、政治を従属させるか、あるいは政治とは全く独立の地平であった。

政治と文化の逆転の結果、イデオロギーの磁界のきぎくあいもまた、従来と違ってきた。運動からの離脱、つまり行為の終止のあとには、エネルギー発散のあとのけだるさと自己満足だけが残った。その地点から体制内への移行は、位置の移動であり、主体の変身として自覚され、決して挫折にはならなかった。主体は、イデオロギーと一定の距離を保っており、その分だけ、文化的意味・価値をより強く志向していた。文化と政治の乖離はこの点でも明白であった。

運動のファッション性

ついでにいえば、運動のファッション性は、表現行為には不可欠の属性であり、しかも、ファッションという移ろいやすいものが、肉体の一部として意識されていたことは、現代における意匠と自我構造を考える上で、きわめて暗示的といわねばなるまい。さらに、総括のきびしさは、美的行為の純粋性から十分に説明可能であろう。もちろん、旧左翼に見られる相互批判のパターンと全く無縁であったとはいえない。

一部知識層の動揺は、運動が文化的意味を包含していたこととかかわっていたはずだ。少なくともかれらにとってあの運動は、政治的危機である以前にすぐれて文化的なそれであったわけだから。

ところが運動は、幸か不幸か既成の政治構造のプログラムにまきこまれて展開していった。おそらく、運動をリードした指導層にも、事柄の意味が十分に理解されていなかったからだろう、既成の政治のダイナミックスのなかでエネルギーは費消され、運動は急速に崩壊していった。それみたことか、というのが既存政治勢力の評価であった。政治のメカニズム、政治と文化の関係についての旧い公理系でみるかぎり、それは正解であったろう。しかも、運動のもつ文化的意味は全くネグレクトされ、だからこそ数多の誤解が発生したのも当然であった。

七〇年代の文化状況に含まれるひとつの重大な要因は、結局、七〇年闘争に顕著に現われた文化領域の自立——もしくは自律性の獲得——に求めることができる。それは文化領域から政治の影が徐々に後退し、イデオロギーの磁界がきかなくなった側面と、新しい文化回路——客観化された装置と主体の意識構造を含んだ——の発生という側面をもっている。こうした問題点を前提にして、現代のコミュニケーション状況を考えなおすのが次の問題である。現代の文化状況にはさまざまな側面があることを否定しないが、ここでは以上のような領域にだけ話を限定しておく。包括的な文化状況のスケッチはこのような小稿では無理だろう。

コミュニケーション空間の変貌

情報と人間とのかかわり

前節で書いた文化状況の変動と並行して、ここ十年ほどの間、社会的コミュニケーションの総過程、その構造・機能も、徐々に、そして確実に変貌をとげている。一方の極では、「情報化」というコトバに象徴される変化が進行している。情報収集・加工・伝達・受容機構の機械化が、コンピュータ・伝達技術、総じて情報技術の進歩を前提に着実に進んでいる。他方の極では、テレビの普及とオーディオ・ブーム、週刊誌と漫画・劇画ブームを契機に、マス・メディアの状況も大きく変わりつつある。このようにして社会の情報の生産・伝達・消費構造が変わったことは、だれしも否定できないだろう。ここまでに至った事態に関して、賛否両論の議論もすでに十分に行なわれているといってよい。ここでは、こうした社会的コミュニケーションの大状況には直接ふれない。むしろ、さまざまの情報をひとつの所与と考えて、それらと人びととの関係のあり方、とくにこの十年間に顕著になった新しい関係形式を二、三あげて、問題点を指摘してみたい。この小状況の話も、大状況のそれと同様に、いやそれ以上に人間の情報・記号行動の核心部分を構成していると思う。

情報とかコミュニケーションは、従来、人と人との関係を媒介するものとしてのみ考えられてきた。

たしかにそういう面はある。情報化やマスコミに関する数多の議論は、共通にこういう主調低音をもっている。しかし、他面では、記号――情報を構成する単位であり、コミュニケーションでのメッセージと意味ののりものというほどの意味にとっておく――と人間の関係は、自己表出という領域と、それとは無関係に存在する記号群と人間との関係領域をもっている。この関係では、人と人との関係という相互性が多くのばあい欠落している。表出の結果としての記号群が、人びとに受容されることが通常だが、表出自体は受容を前提することなく行なわれ、所与として与えられた記号群の受容も、表出主体の意思や意味と無関係に行なわれるという関係形式になっている。こういう関係は、従来コミュニケーションという考え方のなかではネグリジブルな領域とされていた。しかし、実際にはこういう関係が増大し、その比重も増してきている。正確にいうと、人間のコミュニケーション行動を情報・記号行動としてとらえると、こうした領域をも包含しなければならなくなる、ということだろう。それに前節で指摘した若者たちの行動群が、すぐれて情報・記号行動的であり、かつ自己完結的であることに注目すれば、コミュニケーション概念を拡大して、それらを含ませることは意義のあることだろう。

　これから書くことに対しては、社会的に見て小さな部分現象にすぎない、若者文化といっても少数の若者たちのサブカルチュアではないか、という批判が予想される。しかし、そういう見方が、前に書いた誤解の主要な原因でもあったわけで、今や否定的評価だけではすまされないところにきていると思う。以下、われわれの周辺にあって見慣れた、広義の情報・記号行動――人と人との関係を媒介する記号群と、今書いた自己完結的情報・記号行動を含む——のいくつかを、今までのとは多少異なった視角から見ながら考えをすすめていきたい。

環境としての情報空間

前にも書いたように、コミュニケーション過程は、発信者と受信者をメディアが媒介するプロセスであり、このプロセスに外部からさまざまなノイズが入ったり、プロセス自体に外側からさまざまな強力な磁力線が作用して、正常に作動しないことが起こる、といったモデルで記述されてきた。これによると、われわれは五官をもって知りえない有意味の環境に関する情報を、不完全な回路を通じて入手する。不完全な回路がいくら増えても、また回路を伝送される情報量が増加しても、われわれは十分でかつ適切な情報を手に入れることにはならない。それに環境自体のもつ情報量に比べれば、回路の容量は非常に小さいともいわれ、われわれは情報において疎外されている、ということになっていた。たしかにそういう点もあるだろう。しかし、情報に対する受容の形式もしくは享受の仕方は、これだけではない。

かつてロンドンで新聞のストライキがあった。何日も新聞を読めなくなった人びとは、広場に集まって急におしゃべりをしだした、という有名な事実がある。個人主義が徹底しているロンドン子たちがそうしたのだ。この話は、現代の新聞がいかに生活必需品になっているかの例証として使われてきた。しかし、よく考えてみると、この話は、ある生活状況が成立している場合、一定の構造をもった情報空間（＝環境）が不可欠であるとも読みとれる。たしかに情報の制作者と伝達機構を欠いては、人びとにとって、情報はそもそもありえない。ところがここで重要なことは、人間が存在し、したがって生活がある特定の構造をもって存在するとき、人間と生活にとって不可欠な前提条件、もしくは環境の構成要件として、どうやら情報もまた存在しなければならない、という点だろう、情報は、電気・ガス・水道と同じものにすでになっているのではないか。生活は状況によって常に流動しているから、必要とされる情報の種類・形態・量・回路は、多元的にならざるをえない。新聞社、放送局、出版社などの情報の制作・発信者は、この多元的情報を随時供給しうる情報の貯水池という機能を果たさざるをえなくなる。つまり社会的には、一定の情報の水位が保証されていなければならない。発信者全体には、無限に多様な情報需要に応えるべく、ありとあらゆる情報を常に用意しておくことが要請される。総体としてみるかぎりは、情報の質はほとんど問題ではなく、しかも水位は高いに越したことはないだろう。そして情報に関するかぎり、多すぎて公害症状を呈することなど、まずありえないはずだ。

サラリーマンにとっての通勤電車のなかの新聞・雑誌、主婦や子供にとってのテレビ、若者にとってのポスター・オーディオ・ビジュアル再生装置・深夜放送などは、それぞれ環境を構成する情報の形態であろう。情報を不可欠の成分とした環境であり、それぞれにとっての心理的情報空間がそこに成立しているとみなせる。さらにこの情報空間の構造は、固定的なものではなく、時間の経過につれて、つまり状況の変化に応じて、常に流動している。つまり、人びとは複数の空間の間を不断に移動している。というか、外部にある情報が選択的にとり入れられて環境を構成し、情報空間ができあがる。この空間のなかで環境と人間の濃淡さまざまな共生状態が成立する。

自我のファッション化・情報化

情報空間を充塡している情報の質にもふれておこう。かつて超越者のオツゲとして与えられた情報から、現代のテレビ映像までを考えてみると、文明の進歩とともに、確実に、情報の固有ベクトルの強度は低下し、イデオロギー的志向性は失われる傾向にある。同時に、多様な情報の共存は、個々の情報ベクトルを相殺し、全体としては無重力場ができあがっている。こうして、情報を享受する側は、情報制作者の仕掛けるベクトル・意味から解放される。この点は重要だ。情報にベクトルを付与し、意味を与えるのは、享受者の方でやることになる。そして情報に固有ベクトルがなくなることが、情報の環境化を促進させる要因にもなる。こういう傾向は着実に進みつつあると思う。いうまでもないことだが、すべての情報がそうなってしまった、といっているのではない。

ところで、どこまでを環境というべきか、という問題もある。この問いについては、求心的と遠心的のふたつの方向で考えることができる。まず求心的方法について。環境の要素としてどの情報を選択するかは、主体性の問題であるとされている。個性の表現としての行為という公理はそう教えている。衣裳とは個性の表現にほかならない。衣裳が環境であるとすれば、環境は肌の一センチ先にまで接近する。バルトによらずとも衣裳は記号であろう。つまりは情報である。ところが、ファッションが変われば個性が変わるという命題は、この公理を逆転させる。個性や主体性すらもファッション化する、というか、情報化する。環境化は自我の核心にまで及ぶことになる。こうして自我の情報化を契機にして、人間と情報の無限の融合がはじまる。自我の解体、いや今必要なことは、古典近代以来微動だにしなかった自我・主体性・個性などの概念の再定義なのかもしれない。

自我の情報化とおそらく表裏一体の関係にあると思うが、実は、自我は無限に拡大し、あらゆる外界の出来事を記号化し、環境化するという傾向もある。これは、わが大和民族の最も得意とすることでもあった。西欧においては、自我は、みずからの理性――その裏側にはかつて神がいた――の秩序に従って、自然の部分を切りとり記号化してきた。これに対して、万葉以来、人びとは自我の表出を花鳥風月に託した。自然のなかに自我をそっくり投げかけた。自立した自我があるのではなく、自然の秩序とその運動のなかに、その都度ある状態の自我を見出していた。自我は、みずからの秩序ではなく、自然の秩序のなかで無限に膨張していった。自然はそのまま環境化し、情報化し、しかも自我とは対立しない。自然は自然そのものとして人間に対峙せず、自然はすべて記号として読みとられる、といってもよい。記号化した自然が、際限なく自我の内部に侵入するといってもよいし、自我が無限に自然のなかに拡がってゆくといってもよい。

こういう日本人の心性（メンタリティ）からくる情報・記号行動は、伝統として定着し、あらゆる芸術形式のなかに日本美の特有成分として含まれている。能・狂言・歌舞伎などの伝統芸能からはじまって、明治以降の近代文学に至るまで。

情報は、常に、自我とのっぴきならぬ関係をもたなくてもいい、さまざまな形態で自我とかかわり、自我の周囲に存在し、自我が生の営みの場を形成する重要な要因になっている。いつも知識やメッセージを伝達しなくてもいいということだ。情報の環境化ということである。他方、物理的・社会的・文化的・人間的環境も、自我が際限なく環境と融合することによって記号化し、情報がつくる環境に包摂される。自我と環境との関係が、主体と客体、利用するものと利用されるもの、行為と手段といった形ではなくなったのである。こうした事態が、情報の人間と人間を媒介するという働きに対して比重を増しはじめる。これは、現代の文化とコミュニケーション状況のひとつの大きな特徴といっても差し支えないと思う。重ねていうが、この傾向は、別の状況を排除しない。文化とコミュニケーションが非常に複雑な構造をもつようになったことは、少なくともたしかだろう。

寄合のコミュニケーション

国会での与・野党のやりとり、異なった陣営の間の国際会議、さまざまな政治集会、労働組合の組合員大会等々の政治的世界のなかでも、情報・記号行動は圧倒的な比重を占めている。こういう記号行動をどう説明するかも、コミュニケーション論の課題であろう。ここではふたつの問題をとり上げたい。

まず、悪名高い国会論議。委員会のやりとりの速記録やテレビで放映される論議の様子に接した人はだれでも気付くことであるが、印象的なことは、野党の追及に対する政府の答弁の仕方であろう。

とにかく非常にいい加減なものである。これに対して、日本語のあいまいさ、コトバでごまかす政府側の態度の悪さ、論理的（ロジカル）に成り立たない議論をするその拙劣さなど、がしばしば指摘されてきた。この話から、ある詩人が話してくれたひとつのエピソードを思い出す。

九州の僻村のある集落では、集落全体にとって重要であり、かつ成員の利害が一致しない問題で意思決定をせまられると集落の会合をもつ。会合に集まった成員たちは、順に自分の考えを話す。いくつかの対立する意見は出るが、対立した同士のダイアローグは行なわれない。ただモノローグだけ順序よく進行する。ひと通り話し終わると解散し、一定時間をおいて、また集合する。そして、順にモノローグ。これを何回かくりかえしていると、徐々に対立が解消し、ある一致点が見出され、意思決定が行なわれる、という話であった。個々の成員は、他の成員の意思を聞きながら、この過程で自己の意見を修正してゆく。修正は、議論のなかで行なわれるのではなく、モノローグとモノローグの中間で相互に、しかし別々に進められる。自己修正の結果であるため、最初の意見と、最後にみなが一致した結論との距離は問題にならない。それぞれが結論を自分の意見と考えうるわけだ。これは西欧的な多数決原理とは全く異なる意思決定の方法であろう。集落の和を維持していくための唯一の方法がこれだった。

厳密にいうと、これはコミュニケーションではない。ある場（フィールド）にさまざまのベクトルをもった情報を集め、その相互関係を測定し、一定時間をおいたのちに、また自己修正をした異なった情報をもちよって、関係の調整を行なう。まさしく情報・記号行動にはちがいないが、相互性をもったコミュニケーションとはいえないだろう。情報を媒介にして人間と人間が、同時点で直接的に関係しているとはいえない。これは情報・記号行動における日本的なるものが端的に現われている好例であろう。日本人は情報・記号行動が常に相互的なものだとは考えてこなかった。議論の過程で理性の声がより正しいものを告知し、それに反対のものは、その正しさ故に多数に従う、という会議のフィクションを信じていない。こういう習慣をもつところへ多数決原理が導入されれば、力の強いものがこの形式だけを利用するのは当然だろう。多数派の自己修正はなくなり、少数派は常に無視される。こうして、例の国会論議が現われる。集落の会合の原理と多数決原理が論理的整序なしに短絡し、珍妙なプロセスだけが残る。

国会の審議

では国会の論議は何のためにあるのか。議論の結論はいつもあらかじめ決定されている。しかし決定するためにはある手続と、決められた場でのオーソライズが必要である。少なくとも議論したことにしなければならない。野党にとっては、審議にかかった時間の総量と、その過程でどんなハプニングが起き、政府・与党をどこまで追いつめたかが問題であり、政府にとっても十分に審議を尽くしたというための、やはり時間量が問題になる。審議とは、コミュニケーション行動であり、情報・記号行動であるはずだ。しかし、この過程は結論の変更・修正をもたらさない。したがって、それはまさにプロセスそのものであり、自己目的化しており、相互性がない。これもまたコトバ本来の意味のコミュニケーションではなくなる。このことは、実は、国会審議のみならず、多くの政治集会、組合大会、その他諸会合にもあてはまる。

　こういう情報・記号行動の、独特の日本的メカニズムは、コミュニケーションの西欧的定義からははずれているし、きわめて非合理的・非能率的なものと評価されても致し方ないが、人間・社会行動のなかでの情報・記号行動のもつ機能の不可欠の要素といえないこともない。それ自体に栄養価のないコンニャクに情報は似ているという、情報＝コンニャク説がいわれる所以はここにあるのではないか。情報を受容することによって、意識・態度・行動などが変換する実例はいくらでもあると思うが、実際には受容主体に全く変化を起こさない情報の方が圧倒的に多いのではないか。こういう情報も同じように人間にとって非常に重要なものである。

　国会論議のなかの例の情報・記号行動も、何らかの意思決定を実現するための不可欠の要因であろう。日本的コミュニケーション習慣――前にあげたエピソードの原理――が生き残っているかぎり、あながち、まちがい、無駄、非能率、非合理とはいえない。

政治集会での若者の演説

　もうひとつ。政治集会でのリーダーの絶叫的な演説の数々。理路整然とやったら演説にならない。政治的エネルギーを蓄積し、爆発させるためには、独特の雰囲気を作り、ある種の宗教的恍惚境（エクスタシイ）に聞き手をさそいこまねばならない。定義ぬきのある種のボキャブラリーが利用される。ボキャブラリーは政治集会の性格に規定される。これも明らかに情報・記号行動であろう。しかし、コミュニケーションといえるかどうか。メッセージの発信者は、記号の意味を果たして伝達しようとしているだろうか。おそらく、定義された意味などは問題にならないだろう。象徴的な記号の集積が、ある効果を聞き手のなかに作り出しているにすぎない。そして、記号の意味と効果とは因果的かつ一義的には決定されない。これもまた相互性を欠いた、ある種の情報・記号行動である。聞き手を含めてそういえると思う。この最も極端な例が若者たちの政治集会に見られる。発信される記号群は、その意味がほとんど了解不可能であり、独特のイントネーションは詩に近く、ある種の宗教性すら帯びている。集会の情報・記号行動だけでなく、かれらの書く文章、ある種のミニコミには、こういう記号群があふれている。祭政一致。宗教から可能なかぎり断絶した政治は、その極限のところで再び宗教的なるものに接近したのだろうか。だからといって、この情報・記号行動を否定しさることはできない。けだし左右、新旧を問わず、これらの行動がある積極的な役割を果たしていることはたしかだから。これもまた人間の情報行動のある核心を形成している。

日常性からの脱出と情報行動

社会変革とは既存の体制・規範・思想を根こそぎ変更するものであり、そのかぎりでルーティン化された日常性の拒否もしくは克服を内包しているのが常である。日常性を肯定し保持しようとするところに変革など、どだい起こりえない。そうでなくとも日常性とは、いかにもうっとうしく退屈なものであり、だれしも束の間でもよい、日常性からの脱出を願っているだろう。この世のわずらわしさ(=日常性)から脱出したいという欲求も、みな等しくもっている。脱出した先にあるのは、順にいうと、政治であり、遊びであり、宗教もしくは宗教的なるものであろう。

政治については、すでにその一端にはふれた。とくに変革を語る場合には、未だ存在せざるものにかかわっているから、全行動がシンボリックな情報・記号行動にならざるをえない。未だ存在しえないもの、あるいは、現に今存在していないものについて語りうるところに、言語の主要な特質があるとすれば、政治的記号行動は、最も典型的な情報・記号行動であろう。しかも、行動が宗教性を帯び、恍惚とめまいとシビレをもたらしたときに、政治的記号行動は完成する。おそらく、変革のエネルギーはそこからしか出てこないだろう。少なくともかつては、そうであった。その意味で政治的記号行動は、最も人間的な情報・記号行動なのかもしれない。

遊びにおける情報・記号行動。典型は子供の遊びであろう。いわゆる記号が介在しなくても、子供の場合、遊びそのものが情報・記号行動であることは、よく知られている。模倣とは窮極的には、情報・記号行動である。そしていうまでもなく、子供の模倣行為は無意識の表現行為でもある。遊びや模倣を生産的労働の原型とする考え方は、事柄の何分の一かを語っているにすぎない。子供のそれはまさに純粋に情報・記号行動であり、どちらかといえば芸術的創作行為の原型といった方がよほど正確だろう。

したがって子供の表現行為の延長線上に、芸術的な創作・享受行為がある。芸術という情報・記号行動の源は、おそらくこの子供の遊びと、あとでふれる宗教という、これまた純粋の情報・記号行動に求めることができる。創作の衝動と、あらゆる既存の規範――つまり日常性――を否定し、恍惚（エクスタシイ）――子供の遊びにみられる歓び――を伴った行為が芸術であろう。したがってこの行為は瞬間的であるか、あるいは一回的なものでなければならない。子供の遊びと同様に、基本的には、芸術もまた情報・記号行動には違いない。そして、しかも相手を期待しない、相互的でない、という特徴を備えている。いわゆるコミュニケーション概念からはみ出している。その意味でこれもまた情報・記号行動の純粋型のひとつであろう。

ポスターをはりめぐらし、あらゆる情報装置をかかえこんだ若者は、これらを自我もしくは肉体の一部だという。子供は手を動かしている。結果が絵になっているにすぎない。これらはいずれも、相手のいない、あるいは相手の存在が全く自覚化されない情報・記号行動である。純粋型といったのは、この意味においてである。

宗教もしくは宗教的なものについては、随所でふれてきた。すべての人びとのなかに宗教的なるものが存在し、人間の行為の多くに宗教性がまといついている以上、「神々は死んだ」けれど、宗教的なるものは残っている。「原点が存在する」という。原点（アイデンティティ）を志向する人間の心性は、所詮、宗教と無縁ではいられない。宗教を宗教たらしめている基本的要件が、〈ナッシングとして信仰する〉ところにあるとすれば、そして神を語り、救済を語り、来世を語ることがその機能だとすれば、宗教とは、コトバを換えていえば、最も純化された記号の体系にほかならない。そうであってはじめて、宗教的法悦感(エクスタシイ)が可能になる。「神々は死んだ」が、このような説明にぴったりはまる現象がわれわれの生活のなかに、あるいは周辺にいくらでも見出せる。「情報化」という、情報回路の機械化現象にほぼ並行して、それとバランスをとるかのように、今まで書いてきたような情報・記号行動の比重が増大してゆくのが、現代なのかもしれない。「情報化」は、こうした諸現象を包括した概念として定義しなおす必要があるのではないか。

以上、現代において特徴的に見られる情報・記号行動のいくつかが内包する問題点を指摘してみた。広義のコミュニケーション論の未開拓の領域のひとつがこの辺にあるだろうということを、さしあたりいいたかったのである

情報環境と新しい人間像

さいごに、人間についての問題点だけを簡単に指摘しておく。孤立した主体的かつ個性的な個人が存在し、それらを結び媒介する、というコミュニケーションに加えて、以上のような新しい、というか原型に回帰しつつある情報・記号行動がウェイトを増してきていること、そして、求心と遠心というふたつのベクトルにひかれて崩壊しつつある古典近代の自我のこと、原点が求められながら死滅しつつある神および理性のこと、などを考えてくると、新しい人間像について何らかのイメージをもつべき段階に、われわれはきているのかもしれない。これは、リースマン流にいえば、大衆社会に対応

する外部志向型パーソナリティを越えた、「情報化」と対応し、その構造に同調しうる内的メカニズムをもった、人格構造ということになるだろうか。

それがどのようなものであるか、まだよくわからない。ただいくつかの属性を数えあげることはできる。順不同であげてみよう。偏見をなくしてみれば、人びとの行動の自由度は確実にふえている。規範による強制は著しく低下した。変貌しつつある情報環境との新しい共生状態を獲得しつつある。自我が無限に縮小することとウラハラに、その無限大への拡大ということもある――この系（コロラリー）には、不断の変身（変身衝動）、個性とファッションの因果関係の逆転、街頭・都市空間での群集化と孤立志向・密室志向、マス・メディアが「組織」する幻想の共同性、あるいは群集形態の下で成立する共同性・部族性（ビートルズのコンサート）、換言すれば情報化の中で成立する現代（脱近代）の共同性、価値序列の並列化とそれぞれへの同等の志向などがある。嫌悪の対象への短絡的――古典近代の公理からすれば――な叛逆と、その行動からの素早い転身と、心理的スウィッチの切替えの巧みさなどもある。あげてゆくとキリがないが、こうした従来の公理系からは理解しがたい、相矛盾する属性を整序したときに、おそらく新しい人間像（＝メディア人間）が浮かび上がってくるだろう。文字通り、それは新しい社会学の課題であり、それを解くことによってその出発点が明らかになるはずだ。

★参考文献

R・カイヨワ、多田道太郎ほか訳『遊びと人間』講談社、一九七二年。

R・バルト、佐藤信夫訳『モードの体系』みすず書房、一九七二年。

C・A・ライク、邦高忠二訳『緑色革命』早川書房、一九七一年。

K・ボールディング、武者小路公秀ほか訳『社会科学のインパクト』ダイヤモンド社、一九七〇年。

Ⅳ　情報空間と文化変容

原宿に集まった若者たち（1982年）

マス・コミュニケーションと文化の相互作用

情報空間の形成

一九三〇年代以降のアメリカ社会学・文化人類学などでは、「文化」を生活様式の総体と定義している。またドイツの観念論哲学のなかでは、人間の意欲・意思の実現のための知的創造物の体系を「文化」と定義している。この二つの定義の和を算出すれば、われわれが、漠然と「文化」と考えているものはすべて含まれることになるだろう。ここでは、文化をそのようなものと考えたいが、念のため、若干の注釈をつけておく。つまり、われわれが使用している記号体系（当然のことながら言語は含まれる）、規範体系、信念・信仰の体系、イデオロギー、風俗・習慣、それから人間の存在・行為などの意味づけの基準となるシステムのすべてを含めておきたい。

同様に、マスコミの意味内容も拡張しておこう。新聞・雑誌・テレビ・ラジオのいわゆる四媒体のほかに、まず、映画、レコード（オーディオ装置）、漫画・劇画・情報誌、書籍などの大量伝達媒体を含めたい。さらに、現代では、情報を必要不可欠の成分として含む社会空間である、街頭、駅の構内、電車内、サブナードなども、それらが媒体性をもつがゆえに、マスコミというカテゴリーから落とすわけにはいかないと思う。それ以外にもポスター、イラスト、いたるところに氾濫する広告コピーの類も、無視できない構成要素であろう。いうまでもないが、マス・コミュニケーションとは社会的機能をいう。したがってここにあげたものは、正確にはメディアである。ここでは駅構内などの空間がメディア化し、マスコミとして機能していることを問題にしている。

このように、「文化」「マスコミ」両概念を拡張したのには理由がある。工業化後期から脱工業化へ移行しつつある先進諸国、なかんずくわが国で一九六〇年代後半から顕著にみられる現象の一つに、コミュニケーションの社会的総過程の拡張と統合という状況がある。この事実は、生活空間と情報空間が相互浸透していく、というイメージでとらえることもできるし、前にあげた各媒体が、役割を交換しながら、機能として同等のものになり、それが渾然一体となって、一つの文化的装置をつくる、ということでもある。たとえば、テレビ番組のなかの風俗と街頭の風俗・景観が同時進行するように、あるいは、週刊誌の内容や話題が、ただちにラジオに現われるように。もちろん、各媒体間のテーマの移行には一定の時差がある。同時に取りあげ方の違いもある。この時差と違いが、フーガ的というか、対位法的というか、ある種の緊張と対照の妙をもつ交響的世界を形づくることになる。この交響的世界を社会的情報空間と名づけたい。コミュニケーション(=伝達)という概念は、この世界をとらえるには若干寸たらずという感じがする。

装置化する情報空間

この交響的世界は、人びとの意識と行動を活性化して、そのエネルギーをとり込むことにより、現代の風俗と文化の環境装置にもなっている。この装置のたぐいまれな力量は、文化構造の表層から基底まで貫通する衝撃力をもっていることであって、六〇年代の後半から現在まで、文化変動の主動因となってきた。

価値の多元化、多様な文化の共生、伝統的文化の変容、イデオロギーの終焉、価値秩序（序列）の崩壊などの背後には、この文化的循環装置＝情報空間が作用していた。もちろん、情報空間という装置だけがその原因とはいえない。しかし、政治・経済システムにまでその影響力が及んでいることを考慮すれば、この装置がひとつの社会的力（social force）として自律性をそなえているといわざるをえない。

前述した文化概念の拡張の理由もここにある。この装置の貫通力は、文化・社会構造の基底に達しているわけで、今日、あらゆる文化形式は、この装置の影響のもとにあるといってよい。いや、あらゆる文化は、この装置と共生している、といったほうがいいのかもしれない。たとえば、伝統文化が、この循環装置のなかで、どのように回転し、変容していくか、その実例はテレビの娯楽番組ひとつをとってもおびただしい数にのぼるだろう。

情報空間が、既存の文化構造を浸蝕し、新しい文化形式が誕生しようとするとき、その前に立ちはだかるのは、言語構造であろう。というのは、ある意味で言語がもっとも規範性・保守性が強いからである。情報空間という装置が、言語を中核構造としてもつ文化の全体構造の表層を剝離させ、言語構造そのものを露呈させた。六〇年代後半からの文化（意識）革命の変革主体は、言語批判を試みて、強固な規範性の破壊に挑んだ。既存の文化の側は、言語論の再編成を試みることでこれに対応した。この種の問題関心の交錯が、現在の言語学・国語論・日本語論・日本文化論ブームの背景である。しかし、重要なことは、この言語論ブームが「マスコミ 対 文化」という浸透と反発の構図を、もっとも典型的に象徴しているということである。それは二重の意味でそういえる。一つは、情報空間という装置の衝撃力には、不可蝕領域（聖域）は残されていないということ。言語構造が崩壊することはありえないが、現にその構造がむき出しになり、言語批判が試みられたことは事実なのだから。そして、二つには、文化のもっとも基底をなす言語を取り扱う「言語論」というポピュラーでないテーマが、ブームになりうるということ。つまり、あらゆる文化的イッシューが、情報空間を循環するテーマたりうるわけである。

大衆文化のゆくえ

したがって、文化の大衆化（大衆文化 mass culture）ということも、あらためて再考の必要がありそうだ。貴族とブルジョワジーとエリート（スノッブ?）が、たとえば、音楽とくにクラシック音楽を独占していたとき、音楽は大衆化していなかった。ところが、演奏会に大量の民衆が動員され、レコードが普及することによって、音楽が容易に民衆の手に入るようになって、（クラシック）音楽が大衆化した、といわれる。

ところで、高級文化としての音楽と大衆文化としての音楽の間に隔絶があるための条件はなにか。

エリート文化というものが民衆の文化から独立して存在し、音楽の享受に、マナー、ファッション、社交などの独特の、そして排他的な文化項目が付随していること、レコードという再生装置が演奏会の不完全な再現にすぎないこと、この二つが前提条件となる。もう一つ、あえてつけ加えれば、かつての演奏会にあって、今日の演奏会やレコードにない、なにものかがあること。ベンヤミン流にいえば「アウラ」ということになろう。

このような前提条件の存在にたいして、現在ではだれしも否定的たらざるをえないであろう。つまり、音楽に、高級なものも大衆的なものも存在しない。高級と大衆を前提にして大衆文化を論ずることは、今日において無意味である。いや、大衆文化など、もはや存在しない、というべきであろう。つまり、循環の量・密度・速度において多少の高低、遅速の違いのある、さまざまの文化形式が存在する、としかいえないのではないか。

ことは音楽に限定されない。絵画・文学・映像作品など、事情はまったく同じである。たとえば、純文学と大衆文学の間の境界線は、ずいぶん以前からぼやけている。純文学的作品がブームを呼び起こすこともあれば、売れない大衆文学的作品もありうる。境界線があいまいになった時期は六〇年代だった。六〇年代は、また、新しい文化形式が相次いで登場した時期でもあった。伝統的文化様式とは、まったく無縁の、新しい創造・表現形式が現われ、それぞれがブームをまき起こした——その典型を「ビートルズ」にみることができる。

この時期は、例の情報空間という装置が形成されたときでもある。情報空間装置もまた、構造性をもった「文化」の一環にほかならない。つまり、既存の文化のうえにさらに、もう一つの文化が加わり、それが従来の文化の構造的再編を促した、といってよい。その再編成の限界は、言語構造にまで及んだわけである。したがって、「大衆文化」などというカテゴリーが崩壊したとして、いっこうにおかしくない。すべては、われわれがえらんだ文明の当然の帰結であった、というべきである。しかし、まああまりに断定的ないい方は、一応この辺でやめておいて、情報空間の文化への貫通力を具体的な例をあげながら検討してみることにしよう。

文化変容——消去と参入

地方都市の文化変容

地方の中都市へ行って、その全域が鳥瞰できる小高い丘に立ってみる。そこに見出すのは、大都会の任意の一部分と相似形をなす、均質化・均等化された都会の構造であるはずだ。中心をなす高層の建築物と周辺のマンション群、郊外の住宅地域と団地のいくつか、そしてこれら建築物の谷間に散開する歓楽街。

丘を下りて街頭に立っても、大都会と区別されるものを発見するのは困難である。店頭のディスプレイ、立ち並ぶ看板、ポスター、陳列されている商品群、そしてなによりもまず人びとを装うファッション、これらは今や大都会のそれとまったく同じである。

郊外から離れて、田園地帯に移ってみよう。ほとんどの農家が六〇年代までに改築され、もはや戦前までの農家の趣きをとどめていない。田畑の間を走る主な道路はほとんど舗装され、屋敷のなかには、昔の納屋はなくても乗用車二台分位の車庫を見出す。改築された家屋の内部には囲炉裏がなくなっており、昔の俤(おもかげ)をとどめていない。いや、都市の郊外の住宅とまったく同じといってよい。家具、インテリア、電化製品その他いろいろを含めて、地域の文化・風俗・伝統を連想させるものを見出すのが困難である。

住民たちは、都会から行った人間とほぼ完璧な共通語で話す。土地の人間どうしのときに、若干方言がでる程度である。かれらの生活態度・意識は、都会の住民と同様、都市化されている。都市文化志向なのである。そして、都市住民より、豊富な旅行経験(海外旅行を含む)をもち、都会へ出ていく気はなくても、意識はほとんど都市化されてしまった。

われわれは、一九六〇年代の日本という文明のもっとも支配的かつ普遍的な文化のあり方を、「都市化」という概念で把握できそうである。地方都市の空間に拡がる文化の様相、生活文化(生活様式)、文化意識、生活意識は、地域的なもの(localism)を離脱して、都市的なものに、いや全体社会の文化の動向に同調して、ある文化変容(acculturation)をみせている、といってよかろう。その変容のもっとも支配的な特性が、「都市化」というわけである。これは、地域文化が、技術とファッションを主体にした都市文化に置換されていく過程でもあり、「文化変容」という概念がもっとも適当であろう。

このような地域文化の変容、いや固有文化の消滅を、否定的に、あるいは肯定的に価値評価するのは、ここではさしひかえたい。その理由を議論することは、ここでのテーマを離れてしまうから。ただ、ひとことだけいっておくが、都会の住民の立場からの地域文化の温存・保存の主張は、地域住民からみれば、都会人の身勝手にしかみえない。

こうした文化変容は、わが国の文明化がはじまって以来の、もっとも深刻なものの一つであろう。今さら嘆いてみてもはじまらない。問題は、このような変容を正確に認識するところにある。おそらく、六〇年代の情報空間の形成が、主要な原因の一つにちがいない。六〇年代に農村にも林立しはじめたテレビアンテナが、もっともシンボリックにこの事態を示している。

マス・メディアの作用

ローカル・ブランドであったある銘柄の味噌が、テレビ・ラジオによる宣伝によって、ナショナル・ブランドになったケースがいくつかある。これらは、当初から、テレビ・ラジオの全国的ネットワークを利用した例であるが、情報空間という文化循環の装置にあるイッシューをインプットしたときの、典型的な結果の一つといってよい。そして、結局のところ、日本全国津々浦々の家庭の食卓に、味噌という地域性の強いとされる嗜好品の特定銘柄(ブランド)の製品が、のることになった。

これは当然といえば当然の話かもしれない。しかし、これから述べる焼酎の話は、必ずしも当然とはいえない面をもっている。焼酎は、つい先頃まで、特定の社会階層の飲みものだった。所得、年齢、地域などによって限定されていた。ところが、現在では、銀座の高級クラブに焼酎のビンが並び、若い層が好んで焼酎の水割りを飲み、家庭でも晩酌の飲みものとして日本酒・ビールにかわり、「ホワイトリカー」は、果実酒の材料として使われるようになった。ワインとともに、日本酒・ウイスキー・ビールという従来の飲酒パターンを崩しつつある。

桐原久『世代別市場戦略のすすめ方』(マネジメント社)によると、南日本放送開局以来、「さつま白波」という焼酎のマーケティング戦略のすすめ方と、焼酎がわれわれの飲酒習慣に参入してくる過程が併行しているのがよくわかる。「さつま白波」は、最初、南日本放送一局のスポンサーだったが、つぎの段階で九州一帯の民放のスポンサーとなり、今日ではナショナル・スポンサーとなった。つまり、「さつま白波」は、ローカル・ブランドからナショナル・ブランドへと成長してきたわけである。たしかに、スポンサーの経営戦略、マーケティング戦略の巧みさが、「さつま白波」を「格上げ」したことは事実だろう。しかし、ラジオ・テレビといった、本質的にナショナルでしかありえない媒体を利用したことが、もっとも支配的な前提条件であったことも否定できない。「さつま白波」という企業体がラジオ・テレビを利用したときから宿命的に、ローカルなスポンサーから、ナショナルなスポンサーへと展開していかざるをえなかったという過程は、逆にラジオ・テレビという媒体の特性を暗示しているともいえよう。ラジオ・テレビを広告媒体として利用すると、どのような自己運動が回転しはじめるか、ということを見事に示した例である。

そして、このマーケティング戦略は日本人の飲酒習慣のパターンの多様化・多元化という過程と相互依存しながら成功への道を歩むことになる。

飲酒にかかわるさまざまな習慣は、文化の深層構造に近いところに位置づけられるものといってよい。あらゆる民族・文化圏に、非日常的・宗教的・呪術的・ハレ的儀式と結合して飲酒文化が存在しているばかりでなく、今日では、ルーティン化された日常生活のなかでもアルコール飲料の習慣は不可欠な（?）ものとしての位置を保っている。このようにして、情報空間という装置は、既存の文化に新しいパターンを付け加える。ここでふれた焼酎の話は、一つの実例である。この種の新しいパターンの参入は、このほかにも数多く発見できることがらである。

消去と参入

六〇年代以後、全体的にみて日本文化が均質化・均等化の方向、つまり内容的には「都市化」の方向をたどったことはすでに指摘した。たしかに地域社会の片隅で息づいていた固有の生活様式・慣習・しきたりが消滅しつつあり、逆に情報空間のなかでごく地域的な文化が全体文化のなかに吸収・融合されていくという現象も起こっている。均質化といわれる所以である。農村の生活が都市化されたことや、たとえば関西ことばが共通語とともにマスコミのことばとして流通していることや、前述の焼酎の話を想起していただきたい。

つまり、全体として均質化は進行せざるをえない。それは、われわれが西欧の近代化を一つのモデルとして文明化をすすめてきたことと、わが国の伝統である文化継起のパターンの必然的な結果であり、一種の宿命というべきものだろう。漢字文化への馴化、仏教文化の普及の速度、宣教師も驚いたというキリスト教の伝播速度などに明らかなように、既存文化と伝来（参入）文化の混合が非常な速さで進行する。その結果、さまざまな異質の文化が共存することになる——雑種文化といわれるわけである。この共存状態そのものが、とりもなおさず日本全国で文化が均質化するということなのである。こうして、きわめて多様な文化の共存、文化の多元化という状態が発生する。その多様化・多元化・多極化は、後述の「ニューファミリー」文化で極限に達する。日本文化は画一化ではなく、実は多様化に向かって変容を続けてきたのである。多様化の代償として、われわれは、地域社会に固有の文化を失い続けてきた。しかし、考えてみれば、これは今に始まったことではなかった。ただ、六〇年代の情報空間の形成は、この進行を加速し、多元化の極限状態をつくりつつある、ということではなかろうか。

文化継承——連続と断絶

なにが残されているか

いくばくかの伝統的文化パターンを喪失しながら、新しく参入するパターンに、つねに寛容であり続けるとしたら、一体、なにが残るのであろうか。これこそ日本文化の真髄というべきものがありうるのであろうか。
文化の領域に属するものとして、ほとんど変換をこうむることなく残されてきているものがいくつかある。まず、日本語の基本的な構造は、全然変わっていない。中国文化や西欧文化との接触の結果、語彙には大きな変化がみられたが、その基本構造は変わらなかった。今日でも、日本語は非常に個性の強い言語として残ってきており、むしろ、異なった言語体系から文字や語彙を借りて、それを完全に自国語化してしまうという、貪欲というか、生命力に富むというか、そういう言語として、日本語の特性は失われていない。

この外来のものにたいする寛容さと、巧みな取り込み方は、ひとり言語のみならず、日本文化一般にあてはまる。前述した文化継起のパターンというのは、このことである。文化の中身ではなく、この継起のパターンもまた、古来、変わっていない。寛容であるために、あらゆる文化が混合し、さながら文化のルツボという観を呈するわけだが、このことは、日本人の宗教意識に端的に現われている。日本人の年中行事をみれば、少なくとも、神道、仏教、キリスト教の儀式が無秩序に並んでいるようにみえる。個人としての日本人をとり出しても、ある宗教が絶対的である例はまれであろう。つまり、個々の宗教は、人びとの生活のなかで相対的な位置しか占めえない。こうして、宗教の意味が相対化されると、極限の状態として「無宗教」の世界に到達する。しかし、日本人が信仰をもたない民族だといわれると、われわれはそうとは思えない、と答えたくなる。つまり、宗教的秩序意識（規範意識）が崩壊し、アナーキーな状態になる直前で立ち止まっている、というのが日本人の宗教的行動・意識ではあるまいか。無限に多様な文化が混在しているとき、われわれは普通、そこに文化があるとはいわない。ところが、われわれは、そして、外国の日本文化研究者も、日本文化の実在性を疑っていない。日本文化とは、異種の文化を混在させながら、動的に相互作用している状態そのものである。状態を維持し、日本文化にアイデンティティを与えているのは、日本語である。それだけである。

コミュニケーション行動の伝統

何人かの人間が、「ことば」に関する共通の解読コードをもって、それぞれの立場において対話するというコミュニケーションの行動パターンを、日本人はもったことがあっただろうか。大いに疑わしいといわざるをえない。あいまいさ、解釈の多義性の許容、言表された意味の次元と発話の意思の次元の区別、発話者のコードと受信者のコードの意識的なずらしなどを、言語としての日本語の表現力を豊かにするように働かせてきたけはいがある。

また、他方、真偽・善悪・正邪・理非・曲直・美醜を弁論の次元で争うという習慣も、わが国にはなかった。むしろ、逆に、人間関係の対立・軋轢を、ことばによって解消するという習慣のほうが支配的であった。ことばを媒介として人間と人間が対峙するのではなく、発話されたことばと人間が「対話」するということが、どうやら日本人のコミュニケーション行動の特質のようである。

このようなコミュニケーション慣習の支配する伝統的場に、ダイアローグはありえない。要するに日本人は、大昔からモノローグとモノローグを結合させながら、コミュニケーションをしてきたようである。コミュニケーションということばが、共通性・共有性・人間的普遍性という意味を含有しているものとすれば、日本人の言語行動(情報行動)にコミュニケーションということばは適当でない。

情報空間のなかにおかれた人間は、環境からの刺激とともに、環境の内部を移動することによって生じる情報との相互作用を行なっている。情報空間を媒介する人間間の関係ではなく、情報そのものとの相互作用を行なうことで、情報行動(=コミュニケーション行動)は完結する。したがって、構造的には、ダイアローグよりもモノローグに近い。いやモノローグそのもの、といったほうが正確だ。これもまた、継承されている文化の一側面といえる。とくに、コミュニケーション行動(情報行動)・言語習慣のありようは、文化の深層構造を性格づける重要な要因であるから、このような文化の側面の継承は重要な意味をもつものといわざるをえない。

日本文化の全体を鳥瞰できる視点に立ったとき、あるいは外国文化との比較という方法論をとったとき、外国文化から区別され、日本文化を日本文化たらしめている何らかの表徴を見出すことは容易であろう。それをもって継承されてきた日本文化の個性ということもできる。そういう個性らしきもののもっている表層や付加物を取り去ったとき、残るのは以上にのべた三点につきるのではないか。この三つのベクトルの合成ベクトルが、今日の日本文化の個性を、結局のところ、形づくっている。

新しい文化

複数の文化的源泉をもち、絶対的・普遍的価値を欠くがゆえに、ともすれば、分極化しがちな日本文化に統一性を付与してきたのは、価値としての天皇（制）とそのときどきの権力機構であった。第二次大戦後、価値としての天皇はいちじるしく貶価された。こうした状況のなかで戦後の民主教育はスタートする。他方、戦後の国際・国内政治の動向は、さまざまなイデオロギーの対立という状況から対立に疲れはてて共存の状況へと移行する。イデオロギーが共存したとき、イデオロギーの力は半減せざるをえない。そこからイデオロギーの終焉までは、ほんの一歩である。

こうした状態のなかで幼少年期をむかえた戦後世代は、物心ついたとき生活空間のなかにテレビがあった。戦前世代とは、まったく異なる媒体環境のなかにおかれていたわけである。

そして、なによりもまず、戦後生まれが社会に出たとき、そこにあったのは高度経済成長、豊かさ、大量生産・大量消費の支配する社会状況であった。

戦前世代と戦後世代をくらべてみると、その客観的条件は、以上にあげた諸点で異なっている。いや、違うというより、まったく対照的であるといったほうがいい。両者は対極にある、といっても過言でないくらいである。これだけ対立的な条件をもつとすれば、戦後世代が新しい文化のパターンをもつのは当然である。かりにまったく根源を異にする文化が発生しても驚くには当たらない。前にあげた「都市化」は、新しい文化の一端を従来の社会学用語で表現してみたものである。進行しつつある事態は、このような用語ではとても蔽いきれないくらい深刻であるのかもしれない。つまり、変容の全体は多面的・多元的であり、今までの用語ではとても基底まではとどかない、深度の深い変化のようである。

変化は、生活様式、生活行動、生活意識、社会行動・意識、意味づけのメカニズム(価値)などの、最初に定義した広い意味の文化の全領域において起こっており、同時に日本文化の基底を揺がすほどの変化のようである。

現代文化の諸相

変容の一般的様相

戦前と比較して、家族形態では核家族化、家族間の人間関係では縦の支配関係から横の役割分担、男女・親子関係から友人関係的なもの、家族の社会的機能では支配と生産の原点から消費と娯楽と休息の場へ、と変貌した。所得水準の上昇、余暇時間の急増、家族構成員の減少、そしてテレビにはじまる各種媒体の家庭内への侵入は、この傾向を加速し、ほぼ定着させたといいえよう。

家族が消費と娯楽と休息の場に限定されたために、支配と生産の場は公的な機関(私企業を含む)に完全に移行する。この公的機関を中心にして、管理社会化の傾向が強まっているというのがよく指摘されるが、管理社会化の問題は、個人個人が許容されている行動と意識の自由度との関連で、あらためて検討されるべき問題である。ここでは割愛せざるをえない。それはともかくとして、戦前と比較するかぎり、公的機関内の人間関係、参加している個人個人の意識と態度は、大きく変容している。

ひとことでいえば、「働く」ということの人びとの生活と意識のなかで占める位置は、大幅に移動したといわざるをえない。

「性」にかかわる文化のパターンの変容もまたいちじるしい。女性にたいして与えられる社会的機会は相変わらず乏しいのが実情であるが、にもかかわらず、男女の社会的地位の相対変化は、予想以上に進行している。結婚以前の男女の関係、家庭内の役割・地位の関係、家庭という場を離れた状況での男女関係などのありようは、封建的（伝統的）な規範体系のみならず、市民社会（近代社会）的規範体系を、大きく逸脱しはじめている。「性」の解放と自由化は、社会的な許容限界ぎりぎりのところまで進行しているといって過言ではない。「性文化」のこの変容は、「性行動」「性風俗」「ファッション」「レジャー行動」「犯罪現象」などに現象化している。こうした「性文化」のありようが、一つの風俗現象として、テレビ・週刊誌を主体とする情報空間という装置の回転と同調していることも注目に値する。「性」もまた、ひとつの話題として情報空間という装置のインプット成分にほかならない。

「レジャー」に現われている行動・態度・意識の特性は、ある意味で戦前の規範体系からもっとも遠いものであろう。労働と余暇の関係は逆転し、日本全国あらゆる場所が観光地化し、海外旅行の経験者が特定の社会階層に限定されず、旅行を中心とする余暇行動が日常生活化したという事態は、明治維新から戦前までの日本民族の価値基準であった儒教的禁欲主義とは相容れないものである。このスケールの大きいレジャー行動も、情報空間の回転のひとつのパターンである「レジャー・キャンペーン」と連動している事実を忘れるわけにはいかない。

戦後世代の文化

戦後生まれが人口の過半数を占め、その年齢の上限が三十代に達した。戦後教育の申し子も四十代になった。かれらの家族形態を、かつて「ニューファミリー」と呼んだことがある。とくに三十五歳以下の世代は、社会状況からみれば高度成長、テレビの驚異的普及、家電製品の普及、クルマ文化の形成、豊かな社会へのスタートという社会状況、イベントの側面からみれば、皇太子の結婚、東京オリンピック、ビートルズ現象、大学紛争（七〇年意識・文化革命）、万博などが継起した社会環境、のなかで精神の形成期をすごした。「ニューファミリー」は単なる名称でもないし、コマーシャルな世界が創出したキャッチフレーズでもない。何らかの実体を含む生活様式であり、あえていえば文化なのである。

その結果、「ニューファミリー」文化の住人たちは、明治以来の伝統的意識構造とは断絶した生活文化・倫理意識、情報空間によって形成された生活空間意識、政治・経済・社会にたいするイデオロギー的意識の喪失などの独特のメンタリティをもつことになる。その精神・意識構造は、かれらの生活行動のあらゆる局面に表出している。たとえば、アパート、団地、マンション、郊外住宅という移行のパターンをもつかれらの住居意識は、日本的・伝統的住居とはまったく様相を異にする居住空間（文化）をつくり出している。壁・襖などを取り去ったワン・ルーム主義、家具の任意の利用・転用

（本棚が衣類の整理棚にばける）、従来の日本的家具のカテゴリーにはなかった新しい家具（？）・什器・小道具・オブジェの充満。そこには、日本家屋に固有のインテリアの秩序はない。住居の喫茶店化・スナック化・街頭化とでもいうべき状況がある。

住居空間の特性

この住居空間の特性を列挙してみよう。第一に、すでに書いた日本的住宅の秩序の喪失。伝統的住居文化意識からみれば、この状態は無秩序の状態である。しかし、やはりここにもある統合性をもった秩序がある、とみるべきであろう。つまり、新しい秩序意識が形成されつつあるということである。玄関、床の間、仏間、座敷、縁側、廊下、たたみ、座布団、台所、風呂場、便所などという空間配置に現われた空間意識とは、まったく異なった空間意識が働いている。入口、ホール、キッチン、ダイニング・ルーム、リビング・ルーム、子供の遊び場コーナー、夫婦の寝室コーナー、テラスなどが空間的に配置され、これらの空間を、家具ではないが家具として転用されたオブジェが充たしている。もちろん、テレビ・ラジオ・ステレオ・本箱・マガジンラック・ポスターなどの情報空間装置の端末は不可欠の備品となっている。やはり秩序があるといっていいのではないか。少なくとも、そこにある種の住居空間意識は表出されている。

第二に、この住居空間は、和風でもなく洋風でもない。まして中華風でもない。つまり、和洋中の完全な折衷である。さまざまの文化がここで混合し、融合する。それは、「ファッション」から「食習慣」に及ぶ。かれらには異なる文化の融合などという大それた野心はない。有用性にもとづく機能的結合が秩序をつくり、おそらく先行世代には了解不能であろう美意識・倫理感が住居の構図をきめている。

第三に、小道具の充満する空間では、電気掃除機は用をなさない。はたきとほうきは、とうの昔に住宅空間から消えている。小型の掃除機がかろうじて役に立つ程度である。そして、主役は、洗剤と化学ぞうきんに替わった。カラぞうきんで廊下・柱などを磨きあげるなどということは、遠い昔の美意識にすぎない。つまり、住居を整理整頓し、清潔に保つ、といった日本的・伝統的潔癖感は完全に失われてしまった。住居の美観は、喫茶店・スナック程度に保たれていればいい。ここにも、かれらなりの美意識が作用しているにちがいない。

そのほか、高くても気に入ったものしか買わない、夕食時に夫婦・親子がそれぞれ別のものをとる、かと思うとみんなおそろいの服装をして街にでかける、家事はそのときどきで手の空いてるものが行なう、といったユニークな生活習慣をもっている。これらの生活文化の構造は、かれらの意識の構造と一対一対応をなしている。

情報との共生

情報空間の装置の端末機器が住居空間に必ず存在していることは、すでに指摘した。かれらの日常行動をみていると、起床から就眠に至るすべての時間に、何らかの形で情報がつきまとっている。生活行動は情報行動とともにあるといってよい。新聞・テレビ・ラジオ・オーディオ・週刊誌・漫画・劇画・文庫本・広告・ポスターなどが、生活行動のあらゆる局面に登場し、生活行動と結合している。それだけではない。かれらの生活空間をみたしているさまざまなオブジェは、その使用価値（物質価値）においてそこにあるのではなく、それらがもっている情報（記号）としての価値において存在理由をもつ。かれらこそ、文字どおり「象徴人間」「記号人間」なのである。

情報とともにあるということは、かれらが情報を心理的精神的安定・均衡装置として利用している、ということである。生活のリズムであり、伴奏であるということでもある。また、情報と接触することは、かれらの自己表現欲を充足することもある。そして、住居空間に複数の人間がいるとき、情報（媒体）の介在が、人間関係の潤滑油的な機能も演じている。

戦後世代のこのような生活行動をみてくると、新しくてユニークな生活空間のなかでの情報行動があり、その積分値としての社会的情報環境という装置ができあがっているというイメージで、今日の文化状況の大枠がとらえられるような気がする。つまり、情報空間という装置は文化の重要な構造的側面であり、文化そのものである。その構造のなかに文化を構成すると考えられている項目を挿入してみると、現代文化の極めてユニークな構造が浮彫りされる。その一端は、本章でスケッチしたとおりである。

★参考文献

E・モランの『オルレアンのうわさ』(杉山光信、みすず書房、一九七三年)は、事実としては存在しない事件が流言によってあたかも現実に生じた事件のごとく拡がっていく様相を巧みに描き出している。情報と出来事の関連を考える好素材である。また、同著者による『失われた範列』(古田幸男訳、法政大学出版局、一九七五年)は、新しい文化形式の誕生にとって言語構造が大きな障害であるとし、既成の学問批判を行なうと同時に、文化の基底をなす言語論を新たな視点から大胆に展開している点で興味深い書である。管理社会についての議論はさまざまな形で行なわれているが、多田道太郎『管理社会の影』(読売新聞社、一九七一年)は、従来議論されていなかった管理社会のもう一つの側面をとり上げ、新たな視角から論述されている。管理社会論と同様に余暇問題もよく議論されることであるが、単なる余暇論ではなく新たな余暇社会という視点から現代文明論を展開したものに、J・デュマズディエ『余暇文明へ向かって』(中島巖訳、東京創元社、一九七二年)がある。現代における情報への接触について論じたものに、平野秀秋・中野収『コピー体験の文化』(時事通信社、一九七五年)が参考となろうし、世代論を含めながらテレビ媒体の機能について論じたものとして、桐原久『世代別市場戦略のすすめ方』(マネジメント社、一九七六年)が参考となろう。

V メディアとしての都市

上空からみた新宿副都心（1983年）

都市空間とコミュニケーション

システムとしての都市空間

都市空間はひとつのシステムである。いや、さまざまなシステムの複合体である。電気・ガス・水は、現代の都市生活で欠かすことのできないものだ。たとえば、給・排水システムは、都市の地下に網目状（ネットワーク）に拡散し、過不足のない給水量があるかぎり、正常に作動することになっている――もっとも、いずれは人間の作ったシステムであり、しばしばトラブルを起こすけれど。給電・給ガスのシステムもこれと同様と考えていい。道路網も、人とクルマの移動のためのシステムである。交通システムは、加えて鉄道・空路を含む。しかもこれらが有機的に連結していなければ、交通の機能は著しく減退する。

生活に欠かせないものに、食料品・日用品があるが、厖大な人口の集中する都市空間は、夥しい量にのぼる食料品・日用品を消費する。これらの〈物〉は、右に書いた交通システムを主要な通路にして、各地の店舗に集結され、各家庭に拡散する。各家庭その他からはまた、多量の生活廃棄物が生み出され、ゴミの集配システムによって処理される。〈物〉の流れに着目してもまた、われわれはそこにひとつのシステムをイメージすることができる。

ひとびとが今日、生活のなかで著しい不自由を感じていないとすれば、この〈物〉のシステムも、正常に作動しているとみていいだろう。

情報システムの複合体

こうしたエネルギーと物の流通・分配・排出・処理システムを、都市工学者や建築家などはコミュニケーションのシステムとみている（黒川紀章『行動建築論』）。それは、これらのシステムの構造が今日の都市社会の情報の流通・分配・交換システムと似ているからであり、その構造のなかに情報システムがふくまれているからでもある。電力の供給システムは、電話のネットワークに似ている。新聞情報の分配と新聞紙の回収は、物の流れと酷似している。交通システムは、交通標識群（情報システム）が制御している。こうしたアナロジーには、それだけの意味しかないが、問題は、今日の都市空間が、やはり巨大な情報システムを含むところにある。

たとえば、行政というコントロール機能を思い出してみよう。中央官庁から末端の支庁・出張所・支所に至る行政機構は、やはりシステムということばがふさわしい構造をもっている。そして、このシステムの働きを見れば、すぐれて情報システムであることがわかる。こうした情報システムと類似のものに、教育制度、警察機構などをあげることができる。さらにまた、今日多くの私的な経済システム＝企業の中枢部が、首都圏に集中している。各企業と各企業間の中枢部の構造も、情報システムのウエイトを増してきていることは、周知の事実であろう。

こうしてみてくると、都市空間は、非常に稠密度の高い情報システムの複合体と見て差し支えない。

都市空間における情報システム

高度成長期に、都市空間の可視的構造を最も変えたのは、大量のクルマの都市空間への流入であった。クルマ文明といわれる所以である。高速交通手段の道路への浸透に適応性を著しく欠いていた日本の都市構造が、今日においても十分にクルマをふくむ都市空間の構造化に成功していないことはよく知られており、これはクルマ文化の未成熟を物語っている。クルマを交通の手段として十分に使いこなしていないということなのだが、その分だけといえばいいのか、クルマがひとつのファッションとして定着しつつあるのは、皮肉な事実である――このことには、後に再びふれることにしよう。

クルマは眼に見えるが、見えないところでも、都市空間は変貌をとげていた。それは、都市空間に張りめぐらされた情報ネットワークの形成である。コンピュータ、エレクトロニクス技術、情報技術が、巨大な情報システムを形成していった――情報化のひとつの側面であった。電話の普及、各機関でのコンピュータと電子的伝達システムの採用、みどりの窓口、銀行のカード・システム、交通システムの制御、そして最も手近なもので電卓までがある。これらは、日常生活の直接的な手段である情報システムおよび機器の一端である。いずれも社会的なエントロピー――無秩序の度合としておこう――を低下させる方向に作用した。早い話、現在の国鉄の超過密ダイヤを制御しているのは、一方でみどりの窓口システムであり、他方では新幹線に見られる列車集中制御システムである。この両システムのない状態を想像してみれば、事態は明瞭だろう。物理系や生物系の場合、〈系〉に情報を挿入することによって、エントロピーが低下するのは、よく知られている。社会・人間系の場合も、いま指摘した限りでは、エントロピーは低下する。

しかし、物理系・生物系と社会・人間系のアナロジーが成立するのは、どうやらここまでらしい。社会と情報との関係には、もっと複雑な側面がある。それが、われわれにとっての課題にほかならない。

コミュニケーション革命

高度成長期には、さらにもうひとつの事態が進行していた。それは、情報化のもうひとつの側面ともいうべきものである。マス・メディアは、情報の収集・加工・伝達の巨大システムである。エレクトロニクス・情報技術は、当然のことながら、マス・メディアの技術的側面を変化させる。テレビの普及、ラジオのパーソナル化、音響再生装置の普及、グラフィック・メディアの拡散などが、予想を上まわるテンポで進行した。新聞も、紙面でこそ確認しにくいが、取材・生産工程に夥しい情報技術を採用している。こうした事態の進行と軌を一にするかのように週刊誌ブーム、漫画・劇画ブーム、女性誌ブーム、カタログ誌・情報誌ブームが続いた。文庫ブームが、さらにこれに続いて起こる。

こう見てくると、高度成長期は、コミュニケーション技術の、いやコミュニケーションそのものの変革期であった。後述する社会・文化構造に対する波及効果をみると、活版印刷技術の開発・導入・

利用に匹敵する革命であったといって過言ではないだろう。

マス・メディアと都市文化

高度成長期といったが、この時期は一九六〇年代を指しており、コミュニケーション技術の開発・導入・利用とその影響は、多くの高度産業社会に共通に見られる現象であった。だから、これは二十世紀後半におけるコミュニケーション革命であった。言語（記号）と人間意識は同じもののふたつの側面だといったのはマルクスだったが、コミュニケーション革命が、人間の意識、これも同じことなのだが、文化を変革するのは必然であった。もちろん、日本の六〇年代を考えても、いや世界の六〇年代も同様であるが、意識（文化）の変革の原因になったのは、コミュニケーションの変革だけではないだろう。とりまぜて指摘すると、戦後期の終焉、イデオロギーの機能喪失、価値の多様化・多元化・戦後教育の効果、生活水準の上昇、異質文化の衝突・相互浸透などが――やはりコミュニケーションの変革も加えるべきだろう――因となり果となった結果が今日の事態である。つまり、六〇年代に文化の地殻の巨大な褶曲現象が起こっていたのである。都市型文化の変容ともいえるし、都市型文化への変容ともいえる、大地滑り運動であった。

日本の場合、この都市文化は、マス・メディアの著しい発達に加速されて都市部以外の文化の都市化を促すという現象も起こっている。マス・メディアをひとつの基幹的装置とする文化は、こうして強い都市的性格をもつことになった。この都市文化が、都市空間に、従来なかったさまざまな模様を描くことになる。

都市空間の媒体性

都市空間において情報システムのウェイトが増していると前に書いたが、これは、別の表現をすれば、都市空間が強く媒体性を帯びているということだ。だから、都市空間の文化構造は、そこでのコミュニケーションの構造を捕捉することによって大半が明らかになるはずである。もちろん、コミュニケーションとは、元来が文化にほかならない、ということもある。

都市空間とコミュニケーションの構造的連関はほぼ明らかになったと思うので、これをいわば所与の枠と措定して、以下、ひとびとの情報行動と都市空間の関連を、いくつかのエピソードを重ねながら明らかにしてみたい。

メディアとしての都市空間

情報行動

鉄とコンクリートでできた無味乾燥な都会を離れて田園や自然に接すると、心が洗われるようだと、よく人がいう。自然の景観が、風が、香りが、われわれの感覚に都会のそれとは異なった刺激を与えるからであろう。このとき、人は視覚と聴覚と嗅覚と、そして特に感覚の鋭敏な場合は触覚とを動員して自然に接している。すでにことばを知り、各種感覚が社会化されている以上、感覚は文化によって構造化されていると見なければならない。だから、人々の感覚がまったく無垢であるとは考えにくい。いずれにしろ、その感覚が都会と異なる何かを読みとっている。つまり、一個の文明人として自然を読み、自然を対象にして意味作用をしている。心が洗われるという表現は、その意味作用の内容が何であるかを指示している。人間、特に文明社会に生きる人間は、自然に独特の意味を読みとるようである。観光地のにぎわいは、この意味作用の瞬間的大量現象にほかならない。もっとも、レヴィ=ストロースによると、未開人は文明人の想像を絶した意味を自然のなかに読みるとらしい（『野生の思考』）。自然は、人間に対して何かを伝達しようという意思をもたないはずだから、この意味作用は人間の側の事情で成立するものだ。意味作用が成立する以上、このとき自然は記号性を帯びているといわざるをえない。これをコミュニケーションといえるか、ということは後にして、こうした一種の記号性にかかわる行為を、以下、情報行動と名づけよう。とすると、自然に対したこれらの行為も情報行動である。しかも、送り手のいない情報行動であるが、人間はどうやらこういうことをしているらしいというところで、話を先へ進めよう。

記号解読

古都の社寺や名所や古蹟をめぐり歩くのがブームになっている。観光地ブームのひとつであろうか。

何を見にゆくか。都会から脱出して自然に接するのと大差ないのではないか。社寺の建築を見、彫刻を見、仏像を見る。そして、それらをふくむ古都のたたずまいに接する。このとき、年を経て色あせた建物そのもの、上塗りのはげた古材を見ているわけでは、まさかあるまい。建物にも、彫刻にも、たたずまいにも、何か意味のようなものを見出しているにちがいない。幸いなことに、この種のものを見るための案内書・手引書のたぐいにこと欠かない。案内書は建物や彫刻の故事来歴にくわしい。つまり、解釈のコードは与えられている。対象物に接したときの意味作用（意味のとりかた）は、ある程度与えられている。古都の来歴もまた、歴史書にくわしい。建造物をみて、彫刻をみて、旧蹟のたたずまいにひたり、そこに意味を見出したとき、建物とたたずまいと彫刻は記号性をもつ。では、その意味は誰が与えたものか。彫刻の制作者ということは、たしかにありうる。建物の建造者となると、これはいささか特定しにくい。古都のたたずまいになるともう、そこに意味を与えた個人など考えること自体ナンセンスである。ところが、手がかりは案内書・手引書・歴史書のたぐいで与えられている。となると、意味は、それらの執筆者——学問的に権威のある人物に相違ないが——の与えたものである可能性が非常に強い。その意味が、建物・彫刻・たたずまいのもつ客観的かつ妥当性のある意味であると、断定していいかどうか。

こう考えてくると、意味作用は、結局現に見ている主体のところにもどってきてしまう。どうみるか、どういう意味を付与するかは、みるものの自由である。だからといって、それらの対象物の記号性は、いささかなりとも減ずるわけではない。いやむしろ、記号性は強化され、顕在化する。われわれは、その対象に意味を与える、いや見出す。これは、すでにのべたように、意味作用の行為、情報行動である。先に書いた自然の場合と比べると、若干事情はこみ入っているにしても、本質的には同じ情報行動とみていいのではないか。こうした情報行動ともなると、未開社会を持ち出すまでもなく、われわれの日常生活のなかにいくらでもある。つまり、記号として制作されたものでないものを、われわれは記号として解読するという習慣をもっている。もちろん、解読しようとしない人、解読できない人はいるから、これは感受性の構造・特性にかかわってくるのだけれど。以上は、人間の記号能力がそういうものであるという事実の証明でもある。

都市空間から何を読むか

もし、人間の記号能力がそういうものであるとすれば、今日の都市空間はどういうことになるか。人はそこに何を読むか。鉄とコンクリートのおりなす硬質の構造は、人の意味付与を拒絶しているといえるか。高速道路の流れるような曲線群、そそり立つ超高層ビル群、さまざまの表情を見せているビルの壁面、夜の街路の水銀灯のつくる直線と曲線、裏町に林立し点滅するネオン、ファッションの街で思い思いの表情をみせる店頭などは、人に何らかのイメージを喚起させるはずだ。そのイメージは、今日においてむしろ濃密になりつつあるといえるのではないか。都市の住人は、田園風景を読むよりもより大量でよりリアルなイメージ・意味を、都市空間に読んでいる。さし当たり、美醜と倫理的評価は問わないことにしておく。このイメージこそ、人が都市空間のさまざまな景観やその一部に読みこむ意味ではなかろうか。

「都市をひとつの文章であるとすると、建物をひとつつくるということは、欠落している一語の空白をひとつの言語で埋めることと同じになる」「一つの個体である建築物が都市という集団の文脈に形態的な連続性だけでなく、それが喚起する意味のつながりにおいて、どうしたら入り込めるか」(磯崎新)という想像力は、すでに建築家たちに共有されている。いや、都市で生活を営む多くの人に共有されている想像力でもある。

首都圏にある各ターミナルはそれぞれ個性的な文体(文章)をもち、構成要素である街路・公園・建物・店頭・看板・ネオンなどは、ひとつひとつの意味をもっている。いや、この都市の小空間に入りこみ、さまよい、たたずみ、また去ってゆく人々が、それぞれに意味を与えているのだ、建築家は、欠落を充塡し、意味につながりをつけるという意図をもつことで、能動的・積極的である。独立した建物が、建築家によってメッセージを与えられる。このことと、都市空間を移動する人の意味作用は、おのずから別であろう。人は、みずからの想像力によって意味を与える。したがって、都市空間とその構成物は、実に多様な意味作用をもつ。いや、厳密にいうと、都市空間に存在する人の数だけの意味作用を許容している。意味の濃淡、深浅の偏りはさまざまであろう。意味のない物質の集積とみる人もいるだろうし、ことばによる表現の限界を越えたイメージを喚起される人もいることだろう。このことは、建築家たちの建物にメッセージを与えようとする行為の意味を否定するものではない。しかし、都市空間の意味作用は、多元的な解釈を許容するものでなければならない。いや、都市空間とは本来そういうものである。

風俗の集積体

都市空間の複雑な構造性は、個人の意思の表象では決してありえない。都市空間に統一性を与えているものが強烈な個性のこともあるが、多くの場合それは予定調和的な結果の問題にすぎない。われわれは、西欧の都市、古代の都、中世の城郭都市、江戸期の街並に、統一性を志向する意思を感知できるが、日本の近・現代都市、西欧・アメリカの現代都市には、しばしば個々の建築主体の自由意思と予定調和的な結果の均衡を見出す。後者を無秩序とみるか否かは、感受性の問題であろう。しかし、後者のエントロピーが高いことはたしかであり、それは、記号学的にいえば、意味作用の多様性を、より許容することにほかならない。

われわれが、ある都市空間の全域を見るのは、高層ビルの展望台の上か、航空機からの俯瞰か、航空写真を見るときぐらいで、日常的なことではない。高層ビルなど、その全壁面を視界に収めることすらできない。したがって、都市空間の記号的連鎖は、ひとひとつのウインドウであり、店頭であり、ディスプレイであり、立ち並ぶ道路標識・交通標識であり、ネオンであり、看板であり、そして疾走する思い思いの色彩とスタイルのクルマであり、分子運動のように——自由意思に従って——移動し、流動して止まない人間の群れである。伝統的な地上の街頭は、比較的記号的統一性は低いが、最近つくられるサブナード、プロムナード、駅の構内は、記号的連鎖を表象しようという志向が濃厚である。

それはともかく、この都市空間を移動するとき、人は、ある時期の風俗の集積体を発見するはずである。それは、ある種のテレビ番組と酷似した印象を与える。都市空間は、その細部に至るまで記号学的読み、つまり意味作用を可能にしてくれる。もちろん、その意味作用の内実は、読む主体の問題である。そして、その主体の読みも、季節の移り変り、一日の時間・時刻によっても変容することだろう。都市空間は、ある面でこうした意味作用の集合である、という側面をもつ。

日本の現代都市が、さまざまな構造的欠陥をもっていることを認めるに吝(やぶさか)でない(漆原美代子「都市環境の美学」、原広司「〈もの〉からの反撃」『世界』一九七七・七)。前にも書いたように、クルマ文明に浸透され、それを十分に吸収しきれず、いま現在、クルマ文化を創りきれていないのだから。しかし、構造的欠陥のあることと、都市空間の伝統的・文化的固有性とは、別の問題である。人が都市空間をどう読むかは、構造的欠陥に必ずしも左右されないということだ。

ここで、新しい感受性の問題に言及しなければならない。六〇年代の文化変容は、新しい意識・感受性の出現と同義である。テレビ、週刊誌(漫画・劇画)、情報誌、新しい音楽様式、ファッション、クルマなどと親近性をもち、そしてこれらによく同調するということは、具象に対して高いリテラシー(解読能力)をもつということである。とすれば、この意識・感受性にとって、今日の都市空間は、意味に満ちているものに見えるだろう。そして、当然のことながら、都市空間の文化的構造のとらえかた、つまりは評価もかわってくるだろう。いわゆる自然から隔たること夥しい都市文化を、ただそれだけの理由で拒絶することはおかしい。われわれが生きている都市空間とは、もともと自然から離脱した空間である。都市とは文化そのものなのである。新しい意識・感受性とは、都市空間の中でイメージを触発され、意味作用を刺激され、文化的行動を促される意識・感受性にほかならない。その持主が、都市空間を第一義的な生息地と考えて不思議ではない。かれらが、時に自然や観光地や古都におもむくことは、以上のことと矛盾しない。

記号と人間の相互作用

こうして都市空間は、未開人にとっての自然、都会人にとっての古い社寺・彫刻・古都と同様に、量質ともに多量・多様な情報を発信しているかのように見える。もちろん、都市空間は、メッセージ伝達の意思をもたない。

しかし、都市空間と人間との間に密度の高い意味作用が成立していることは、いまたしかめたとおりだ。この事実もまた、都市空間が記号性、つまり媒体性をもっていることを証明してくれる。都市空間は、多元的な情報行動を許容し、多様な意味の入れもののように見える、ということが、媒体性ということの意味である。空間の構成物を記号とみている以上、これは記号と人間の相互作用である。〈もの〉や記号を媒介にした人と人との間に成立するコミュニケーションとは違うが、われわれの日常生活のなかで、いくらでも発見できる人間の行動のひとつの形態であることはたしかだ。

メディアとしての移動空間

クルマと現代人の感覚

E・ホールが、クルマがもたらす感覚を次のように叙述している。

《自動車は、それに乗る者を金属とガラスのマスの中に封じ込めて外界との接触を断ち切るばかりでなく、空間を運動しているという感覚を減退させる。運動感覚の喪失は、道路表面から絶縁と騒音だけが原因ではなく、視覚的なものである。高速道路上の運転者は交通の流れの中を動いていて、近距離での視覚のディテールはスピードのためぼけてしまう……

柔いばね、柔いクッション、柔いタイヤ、パワー・ステアリング、単調に滑らかな舗装道路は地面の体験を非現実的なものにする。ある製造業者はその製品を宣伝した、たのしげな人々を満載した自動車が道路を離れて雲の上に浮かんでいるポスターを使ったほどだ。》

クルマが人にもたらす感覚作用の状態に関して、これは半分は正しい。しかし、クルマによって生ずるのはある種の感覚の喪失だけなのだろうか。これだけでは、人が何故にスピードを求め、クルマ文明の形成に参加し、クルマの運転・ドライブに執心したか、その事実の説明に不足しているのではないか。

五木寛之の小説に、深夜、家族の目を避けて、高速道路のドライブに出かける中年男の心情を語ったものがある。現代の都市に住む人間の共有する心理のある傾斜を叙述して、リアリティ豊かな作品である。五木の描いた主人公は、好んで、「金属とガラスのマス」にみずからを封じこめ、「外界との接触を断ち切」っている。

この心理を疎外感で説明するのはたやすいが、それでは説明にならない。なぜならば、外界からの逃避と孤絶は、人間にとってかなり普遍的な心のありようであるのだから。それにクルマを運転したものなら誰しも経験するように、あるスピードに達したとき、人は新しい感覚が内部に目ざめるのを感じるはずだ。さもなければ、クルマに乗ったものが一度は経験するスピードへの憧れの説明ができない。人間は筋力の限界を越えたとき、必ずある感覚能力が既存の感覚を変えてゆくのを自覚するはずである。クルマは、たしかに「地面の体験を非現実的なものにする」。しかし、文明とは、そもそも「地面の体験」を拒否するところから始まったのではなかったか。ことばも文字も印刷技術も、すべて人間から「地面の体験」を奪ってきた。そして、その代償(?)として、人間はどれだけ多くの感覚能力を手に入れたことか。クルマが「雲の上に浮かんでいるポスター」は、人間の文明の宿命を語って象徴的ですらある。が、それだけでなく、感覚能力とは何か、文明の上に、あるいは文明とともに構築される文化とは何か、を余すところなく語っている。

移動する記号の連鎖

ここで獲得された感覚能力は、六〇年代に生まれた新しい意識・感受性と強い親近性をもつものであろうし、両者を合算してひとつの新しい感覚性と考えるのが至当であろう。この感受性を前提にすると、クルマがさまざまな面で情報・媒体と結合している事実も納得できる。

クルマで移動するとき、外部の景観は相当なスピードで移り変わる。しかし、「視覚のディテール」のぼやけは、決して不都合なほどではない。むしろ移動の速さが、外部景観の連鎖に新しいパターンを与える。これは、列車の窓から景観をみることによってえた、すでに馴染のある感覚であり、外部景観の新しい連鎖と同じものである。列車は軌道に限定されていたが、クルマは自由な軌道をもつという決定的な違いがあるにしても。在来線と新幹線のスピードの違いから、われわれは見失うものもあるはずだが、おそらく、見失う分だけ何か新しいものを獲得しているのではないか。新幹線の車窓を流れる景観もまた、ひとつの連鎖を形造っている。幼児や少年が車窓からの景観にあきないのは、移動によって生起する景観のパターンが、かれらの好奇心を刺激してやまないからであろう。

人はクルマによる移動によって、定点からの眺望や歩行という移動スピードでは観測不能だった都市空間のつくるもうひとつの記号的連鎖を発見する。前方から後方に流れてゆく町並、並木、建物の連鎖、看板、アドサイン、交通・道路標識、歩行者やクルマの流れなどは、ひとつの連続体として人に刺激を与え続ける。そして、都市空間がイメージを喚起し、意味作用を促したように、移動空間の構成物もまた、記号の連鎖として意味作用をもつはずだ。すでにのべた理由によって、このとき移動する景観が記号性・媒体性をもつわけだが、この意味作用の装置としてクルマは重要である。だから、移動空間とクルマの合成体が媒体性をもつ、といったほうが正確かもしれない。

クルマと情報ネットワークの結合

カーラジオ、カーステレオは、いまやクルマの必需品である。ラジオ局とレコード・テープメーカーの作る社会的情報ネットワークは、その末端に厖大な量にのぼるカーラジオ、カーステレオという端末装置をもっている。電波媒体という不可視の情報装置は、クルマのなかでひとつの可視（聴）的な型となって現われる。

クルマは、ラジオ、再生装置を媒介にして情報の社会的ネットワークと接続する。テレビの陰で逼塞していたラジオが、クルマという移動空間が日常的になることによって再生した事実は、クルマと情報ネットワークの結合の強さを物語っている。ラジオとステレオは、装置としてクルマに所属しているだけでなく、クルマという移動生活空間のふくむ不可欠の媒体といえよう。茶の間のテレビ、通勤・通学時の新聞・週刊誌・文庫本、個室のラジオと同じように、ラジオとクルマが不可分であるとすれば、つまりクルマそのものが必然的にラジオをふくむとすれば、クルマがそういう媒体性をもつといって差し支えない。

クルマのもつ記号性

クルマは今日、ファッション商品に近くなったといわれる。つまり、化粧・髪形・衣服などの延長線上に位置づけられるということだ。ファッションは、ある社会、ある時代という世界の中で、ある形がある意味作用をもつことによって成立する。だから、同じ性能でも、あるクルマは売れ、別のクルマは売れない。衣服の場合と同様である。そして、化粧・衣服が一種の自己表現であり、ある種の感受性にとっては自我の重要な構成要素であるように、クルマも自己表現であり、自我の一部である。五木の小説の主人公の心理は、そうみることによって了解可能となる。クルマが自己表現であり自我の一部であるという心情の持主が、外国産の映画・テレビドラマに主人公としてしばしば登場することの意味も理解できる。自己表現ということも、クルマが記号性・媒体性をもつことを意味している。人は、クルマという〈もの〉を記号として取り扱う。その瞬間に、人にとってクルマがある意味作用をしていることは疑う余地がない。前記の都市空間との相互作用（情報行動）と違うのは、クルマ＝〈もの〉を記号（媒体）として身にまとうことだ。化粧や衣服と同様、クルマと人間の記号的（媒体的）関係は二重性をもつというわけである。

このように、クルマのもつ媒体性は、複雑な構造をもつ。何層かの媒体性をもつともいえるし、クルマがさまざまな側面で媒体的性格を帯びているともいえよう。

われわれの環境を構成する〈もの〉が記号性＝媒体性をもつようになるということは、現代文化のひとつの特性といえるかもしれない。いや、元来、人間とは、記号を操るだけでなく、〈もの〉を記号として扱いたがる〈記号動物〉なのかもしれない。クルマは、現代において〈もの〉から〈記号〉へ転化した、ひとつの典型にすぎないのだ。その気になれば、われわれは、記号性を帯びた〈もの〉を、生活環境の中にいくらでも見出すことができる。それは、われわれが「地面の体験」から離れたり、それを拒否したときから始まったはずである。人間は、地面から中空へ舞い上がることによって〈もの〉に記号性をみつけた。未開人が、自然の中に夥しい意味を見出したのも、「自然の手ざわり」を越えたためであったはずだ。そして「地面」からの離脱、自然からの乖離がもっとも容易なのは、いうまでもなく都市空間においてである。

情報の社会的濃度・密度が稠密な都市空間は、人間に離脱・乖離のための飛翔力を与えてくれる。ことば・記号の密度、そして情報行動の濃度とは、自然・地面といった重力圏からの脱出の度合を示すメルクマールといっていいのではないか。

流行現象と情報行動

情報密度の高い都市空間

機械的・電子的情報ネットワーク、マス・メディアがかぶせる情報の成層、空間の構成物が帯びる媒体性、〈もの〉にかぶせられた重層的な記号性・媒体性、さらにこれらの情報がつくる都市空間の情報の多層構造を見ても、現代の都市空間の情報密度がいかに高いか、想像にあまりある。クルマという〈もの〉がいかに分厚い媒体性におおわれているかは、前節で紹介したとおりである。われわれは、情報という衣裳を着こんだ〈もの〉の中で生活を営んでいるだけでなく、生活空間は、固定空間であれ、移動空間であれ、社会的情報の流入に対して開かれているのが通常である。つまり、流入し、通過し、消化され、消費される夥しい情報に、われわれの生活空間は満たされているのだ。

本来情報は多すぎることはないから、この状態は、人間にとって快適なものであるはずだ。特に都市空間に住みなれた人間は、多層化された情報への多元的接触によく適応している。都市空間という高い密度をもった情報の〈場〉というマトリックスの上に、どのような文化形態が存在しているか。

流行・大量現象

情報の分布密度の高い〈場〉は、小さな入力で大きな擾乱が起こる。高い密度の均衡は小さな刺激で崩れ、次の均衡を目指して運動を開始する。この運動の過程が、流行現象・大量現象にほかならない。というわけだから、流行・大量現象は、情報行動の巨大かつ凝縮された集積体である。もちろん、現象のエネルギーは、人の意識から由来する。

キャンディーズの引退までの数ヵ月は、大量現象の典型的な構図を見せてくれた。事態はコンサートでのキャンディーズの引退の意思表明から始まる。その時点で、発言は聴衆の意識と共鳴し、相乗作用し、ブームの種子が発芽する。情報密度の高い都市文化という装置――この中に当然マスコミがふくまれている――は、発芽した種子を促成栽培してゆく。キャンディーズと聴衆の意識の共鳴は、この装置の中で何回も増幅される。マスコミと連動していた各地のコンサートは、回を重ねるごとにボルテージを上げてゆく。それが再びマスコミという装置にインプットされ、増幅される。そして、最後のコンサートに至って五万人の聴衆を集めて激しく燃焼し尽くすことになる。マスコミは、重要な役割を演じていた。キャンディーズの場合、役割は大きかった。しかし、主要な原因は、引退声明をしたコンサートでの共鳴現象であり、情報行動が巨大に連鎖し、核分裂をくりかえすことを容易にしてくれる都市文化の装置、つまり都市空間という〈場〉であった。マスコミは重要だが、しかし補助的な役割を演じたにすぎない。それは、マスコミの話題にならない〈五万人コンサート〉が、その後いくつももたれていることからも明らかであろう。キャンディーズの功績は、五万人コンサートを可能にするある情報システムの存在を顕在化させたところにあった。

六〇年代後半以降に発生する流行・大量現象には、必ずこのメカニズムが作用していたようである。ジーンズの流行は、マスコミという増幅装置を欠きながらも、都市空間の情報密度によって活性化されたものだ。

多元的な意味作用

歌い手は媒体である、という命題は、今日常識に等しい。作詞家・作曲家の伝達したいメッセージの媒体である、という面がないとはいわない。作品と一体となって歌手は媒体であるとすれば、おそらく聴衆はいうだろう、ウタと歌手は自分自身のアイデンティティをさぐる媒体である、あるいは自己表現の媒体である、あるいはエネルギー表出の媒体である、あるいはひたすら快く楽しい〈場〉をつくるための媒体である、と。たしかに、ウタと歌手は一体となっている。しかし、聴衆は、ウタの背後にいるウタの創作者たちを考えるだろうか。ウタのメッセージは何かを考えるだろうか。そして、何かが伝達され、それが聴衆の共有するものになったといえるだろうか。むしろ多面的な媒体性をもち、多様な意味作用を許容するウタ・歌手とともにいたにすぎないのではないか。五万人の熱狂と興奮は、ウタのもつ唯一のメッセージ、たったひとつの意味作用を確認するというコンサートなどとは、まったく異質のものといわざるをえない。ここにもまた、媒体（情報）と多元的に意味作用をする情報行動がある。

〈もの〉に何層もの記号性・媒体性が付着し、しかも、多元的意味作用を許容する都市空間（文化）のなかで、風俗や習慣や流行をリードする権威が崩壊したとき、ファッション現象のメカニズムも変わらざるをえなかった。すでに指摘したように、ジーンズの流行は、この新しいメカニズムによって成立した。新しい大量・流行現象は、個の情報行動、つまり個の意思の積分値であるから、個の意思――社会のレベルでも個のレベルでも多元化していた――が持続する限り、日常的な生活行動の中に保存される。ジーンズは、依然としてオシャレ着であり、普段着として残っている。もはや外化された権威は存在しないから、個の意思は、ジーンズという〈もの〉に付与された意味によって決定される。〈もの〉と人間との意味作用という対話が前提としてなければならない。個の意思はまさに個的なものだから、ジーンズは、多様に変奏されて着用される。つまり、同じジーンズでありながら、多元的な意味作用が行なわれているのだ。こうして、流行現象は、付和雷同的な画一的行動から、個の意思による自由な行動の結果の類似性・大量性として成立することになる。しかもそれが、意味作用を伴う情報行動であることはいうまでもない。

ファッショナブルな空間

こうした都市空間における大量現象のもうひとつの典型を、歩行者天国と現代の祭りに求めることができる。前者は、日常、クルマに専有されていた空間が解放されてつくられる非日常的空間をマトリックスとしており、後者もまた非日常的な空間を形成する。非日常的空間・状況が、古来、いかなる働きをしてきたかは、周知の事実である。それは、日常のなかで蓄積されたエネルギー放出の場であった。エネルギー放出が自己目的化した場であった。しかも現代の祭りが興味をひくのは、それがひとつの「ファッショナブルな風景」(後藤和彦)となっているからである。祭りとはもともとそういうものであった、といえばいいえる。

しかし、重層された情報をふくむ都市空間における祭りのファッション性は、参加する個の行為までもファッションと化する。祭りをとったテレビ映像、新聞の写真で、われわれはそれを確認できる。ファッション化するとは、行為が情報行動になるということである。歩行者天国となった銀座の街にたたずみ、歩く人々のしぐさ・表情は、通常の時間、歩道を歩く人々のそれと著しく違っている。歩行者天国もまたファッショナブルな空間といえよう。

ここでもまた、われわれは、新しいタイプの情報行動を発見することになる。しかも、都市空間という状況のなかで。

情報と人間の相互作用

所与の〈もの〉〈情報〉〈記号〉と人々の相互作用、意味作用、情報行動を、都市空間という〈場〉でスケッチしてきた。何回も指摘したとおり、この種の情報行動は、従来のコミュニケーション観からするならば不完全な形のものである。とにかく、送り手が不在か、特定できないか、あるいは送り手のメッセージの確認ができない場合の情報・記号との相互作用なのだから。しかし、情報と人間との相互作用ということでみてゆくと、人間の情報行動のなかで、こうした情報行動が意外に多いのに気付く。そして、この行動を系譜的にたどると、未開人の情報行動にまでいきつくのである。しかも、現在、人がテレビを見、ラジオを聴き、新聞を読み、雑誌を読むという情報行動のなかにも、いく分かはふくまれているようだ。不完全としてしりぞけてしまっていいのだろうか、という疑問があって、都市空間という場で考えてみた。情報密度の高い都市空間のほうが、情報と人間の相互作用が観察しやすいという推測があったからである。

なお、つけ加えておくと、筆者が参加した一九七六・七七年と続けた地方都市における視聴者調査で、地方都市の視聴者の媒体イメージ、視聴行動が都市空間におけるそれと酷似していることがわかった。都市的意識、都市的文化、都市的情報行動は、都市空間に固有のものではないようだ。日本という社会そのものが、ひとつの都市空間を形成しつつある、といえそうである――濃淡の差が地域によって若干あることは否定しないが。日本文化の伝統的特性をそこにみるか、それとも文化の宿命をみるか、克服すべき文化的問題をみるかは、みるものの価値観によるとしかいえない。

★参考文献

都市という空間の中の文化の諸相を理解するための基礎的な文献は、建築家、都市工学者の著作を覗いてみるのがよい。たとえば、ちょっと古いが、黒川紀章『行動建築論――メタボリズムの美学』(彰国社、一九六七年)などは、十分に刺激的である。ついでに、黒川『ホモ・モーベンス』(中公新書、一九六七年)も面白い。都市空間における人間の移動が、社会構造そのものを変質させるだけでなく、人格構造(意識)、ひいては文化を変容させるという大胆な仮説にもとづいて議論が展開されている。雑誌『世界』一九七七年七月号で、「文化の活性化を求めて」という討論をしているが、その中で建築家たちの発言も参考になる。これらの主張・発言は、都市空間を語りながら、文化としてのコミュニケーションに言及している。

都市におけるコミュニケーションに直接ふれているものに、多田道太郎『風俗学――路上の思考』(ちくまぶっくす、一九七八年)がある。夥しい人口が集中し、大量の文化現象が現出している都市空間のなかで人間の行動のユニークさ、個性というものがどう現われるか、を新しい視角からスケッチしている。大量現象と個性化という一見矛盾した現象を統一的に把握する面白い試みとしてE・モラン『カリフォルニア日記』（林瑞枝訳、法政大学出版局、一九七五年）がある。パラダイム（範列）を組み換えることによって、現代文化の新しい地平へ接近するためのパースペクティブを作る試みとも読める。しかも、この「日記」に記録されている六〇年代末のアメリカ西部海岸の新しい文化の諸現象は、読者の知的興奮をさそうに十分なものをもっている。

都市空間という文化的な場での社会的コミュニケーションの構造と個人のコミュニケーション行動の諸特性については、平野秀秋・中野収『コピー体験の文化』（時事通信社、一九七五年）にくわしく展開されている。ここで人間関係（コミュニケーション関係）における物理的距離の問題が議論されているが、距離の比較文化論的アプローチでは、E・ホール『かくれた次元』（日高・佐藤訳、みすず書房、一九七〇年）という名著がある。

VI 社会文化的装置としてのマス・メディア

ロサンゼルス・オリンピックの主会場（1984年）

〈メディア〉とは何か

〈メディア〉ということばは、語源的には、ひととひととを媒介するという意味をもっている。文化にとりかこまれ、文化自体を生きているひとにとって、自然も社会もものもことも、精神的な価値すらも、人格をもつひと＝他者のようにみえる。何故ならば、ひとにとって環境を構成するいっさいが、〈意味のある存在〉にほかならないからである。そして意味の源泉は本来、人格の中にしかないのだ。つまり、ものもことも自然も社会も、アプリオリに意味をもっているわけではなく、意味は人間の主観が与えるのである。だから人間は自然すら人格化してしまう。ひととひと、ひととものと、ひとと価値、ひとと環境は、その意味によって、いわば人格的にかかわり、相互作用し、結合する。その意味をせおっているのがメディアである。だから、ひとはひとにとってメディアでありうるし、価値もメディアである。メディアは対象とひととの間に、吊り下げられたものではない。メディアを情報伝達の手段に限定してしまったのは、近代思想の迷妄以外の何ものでもない。呪術、神話、宗教（経典、僧侶、建築、小道具等々を含む）、祭祀、思想、イデオロギー、象徴体系、価値体系、そしてことば（言語）はメディアであり、加えてこれらのいっさいを実現させる社会的装置もメディアである。

こうしてメディアは、ひとが環境や世界をみる姿勢・態度にかかわり、環境・世界についてのイメージ形成に関与し、また、ひとの内的状態の表現・表出の手段となり、環境との相互作用を実現させ、促進させ潤滑させ、さらには環境・世界の中での自己の存在の意味（アイデンティティ）を確認させるてがかりを与えていたのである。つまりは、メディアとはほとんど〈文化〉に等しいのだ。

文化的装置としてのメディア複合

何か大きな社会的事件が起こると、いわゆるマス・メディアがこれを取り上げる。例えば、戦争などの大事件があれば、ひとびとはあらゆるマス・メディアから情報・知識を手に入れようとするだろうし、同時に、その意味を考え、どう対処するかをみずからに問いかける。世界観や宗教や思想・イデオロギーが動員される。マス・メディアは、情報伝達だけでなく、意味を考え態度を決定する場になる。あるひとは、周囲のひとびとと語りはじめ、またあるひとは、さまざまな情報ルートから知識をえようとし、そしてまた、あるひとは教会で祈りをささげる。このようにして事件は、あらゆるメディアを活性化させる。活性化に何らかの社会的悪意――人民をいたずらに戦争にかりたてるような――が作用しているかもしれない。しかし、歴史的な事実をみるかぎり、メディアの活性化の規模は、その悪意を越えてしまう――第二次大戦を天皇や軍部のせいにだけできるだろうか。大戦中、あれだけ厳しい情報管制をしいたにもかかわらず、ひとびとは〈ウワサ〉というメディアによって戦争の実相の、少なくとも一部分は知っていた。メディアの活性化は、支配者の意図を越えて拡大・深化する。その中から戦争に対する懐疑、批判、否認の態度すら生まれてくるものなのだ。

マス・メディアやウワサは、働きであり、機能であり、メディアであって、宗教や思想は、価値であり、メッセージである。ひとまずは別のもののようにみえるかもしれない。しかし、働きと価値は、常に一体となってひとびとの前に現われ、ひとびとと何かを媒介させる、その点に関して区別することは、大変に困難である。まさしく、メディアはメッセージなのである（マクルーハン）。神話からマス・メディアまで、これらは有機的なひとつの全体を構成していて、衝撃的な事件が起こると、その全体が一挙に活性化する。卑近な例をあげれば、校内（外）暴力。マス・メディアはにぎやかになり、ひとびとが発言をはじめ、教育と思想と政治と文明が考察され、話題になる。誰かが挑発誘導をしなくても、これだけのことはだいたい自然発生的に起こってしまう。つまり、メディアの総体とは、一種の自動的な社会文化的装置なのである。

ここで、①ことばやマス・メディアやファッションや歌のように情報・知識を伝達し、意思や感情を表出するメディアと、②神話や思想のように人間を何らかの〈価値〉に媒介させるメディアと、③教会や都市空間のように人間を何らかの〈価値〉と媒介させながら行動の場になるメディアとを範疇的に分類することは可能であるが、メディア装置の中では一体化しており、具体的な社会・文化現象においては完全に融合している。①を〈伝達〉のメディア、②を〈価値〉〈メッセージ〉のメディア、③を〈場〉のメディアということができるだろう。

メディア装置の稼動

ここでもうひとつ例をあげてみよう。『トットちゃん』は戦後最大のベストセラーになった。すでに六百万部弱売れたそうである。著者が日常的に身を露出させているということは、マス・メディアと話題・日常会話というメディアを結合させ、活性化させる有力な条件である。そして、本の内容が、管理社会化、教育危機、メルヘンブーム等の社会的な話題と直接・間接にかかわっていた。メディアという装置の、少なくともある部分を活発に作動させるべき要因をいくつかもっていたのである。メディア装置は、末端の日常会話という端末装置を含めて、自動的に動きはじめた。こうして、『トットちゃん』は、社会的な〈トットちゃん現象〉になった。この現象化によって、書籍『トットちゃん』と著者自身が、メディアになったのである。ついでにいっておくと、現在では、話題化という形の端末装置が働かない限り、社会的ブームは成立しない。

たしかに自動的に稼動するわけだけれど、この装置のメカニズムを知るものにとっては、恣意的、作為的、意識的に装置を動かしてしまうことも、時にはいい可能なのである。本の売行きが下降してきた時点で、何回か〈トットちゃん現象〉が番組化された。すると自動メカニズムが働いて、番組の視聴率は一定水準を確保し、本の売行きが再び上昇する。新たな話題化が茶の間に、日常会話に、そしてマス・メディアに波及する。このプロセスには、明らかに作為があった。しかし、ことがらにメディア装置総体を活性化するポテンシャルがなければ、作為の目的は実現しない。そして装置の自動的メカニズムがあらかじめ存在していたからこそ、操作、したがって〈演出〉が可能だったのである。作為と自動的稼動とは渾然として間断なく結合しており、その境界線は明確ではない。

メディアのつくる装置に対して、作為による操作・演出は可能である。しかし、目的実現の蓋然性は一定ではない。『トットちゃん』は、いくつかの偶然的な好運にめぐまれたケースである。それはともかく、この実例も、装置稼動の自動性と作為・演出というふたつの要因がつくりあげた社会的現象、イベント・ブームであった。

古典的ジャーナリズムの能動性

メディアが伝達メディアであって、その機能が主として表現と伝達と記録に限定されている場合には、社会的事件はメディアの外側で生起し、メディアはそれをひとびとに告知することによって、役割を終わる。メディアは、社会的事件に対して受け身であり、したがって受け手は、事件にも、メディアにも受け身たらざるをえない。しかし、すでにしてジャーナリズムという機能の中に、社会に対してのメディアの能動性、それと併行させた受け手に対する挑発が含まれていた。古典的ジャーナリズムは、主として政治過程に働きかけ、その機能のある部分を引きついだ現代のマス・メディアは、社会的イッシューを顕在化させ、社会的キャンペーンを展開させ、ひとびとをイッシューのつくる社会現象の中にまき込もうとする。いずれも、新聞なりテレビ・ラジオなりのいわゆるメディアが単独に存在しているのではなく、何らかのメディア装置がすでに存在していて、装置を総体として活性化させることによって、はじめて社会的事実・事件を明確にさせ、ひとびとの関心・興味を喚起させ、社会的現象・ブームを作り出すことが可能なのだ、という前提にたっている。つまり、ジャーナリズム、マス・メディアは、作為と演出を基本的な属性としてもっているということなのだ。

イベントの創出と演出

呪術や神話や宗教というメディアには、何やらいかがわしさが感じられる。ウワサもそうだ。いかがわしさのよってきたる所以は、幻想を生み、狂気を再生産し、いわれのない事実を創造してしまうという事実が現に存在していたことに求められる。あるいは、ひとが何らかの内的状態を表出し、伝達するという行為自体が、いかがわしいものなのかもしれない。ジャーナリズム、そしてジャーナリズムとともに発生した近代広告、両者の発展した形態としてのマス・メディアにも、このいかがわしさがあって不思議ではない。

このいかがわしさが頂点に達したのが、マス・メディアによる社会的イベントの創出と演出である。事柄は、メディアと無関係に発生したのではなく、作られたものであって、メディアの外側にあるのではなく、内側にある。メディアが意思を失う瞬間に、イベントも消滅する、そういうイベントの創出と演出が可能になったのは、極めて現代的な状況であり、しかもメディアの主役はテレビであった。テレビメディアの機能は、必ずしも伝達のメディアに限定できない。

テレソン

その典型は、今や年中行事のひとつとなった萩本欽一を主役にするテレソン『二十四時間テレビ

——愛は地球を救う』。視聴率、各地のイベント会場に集まるひとびとの数、出演タレント数、募金総額等々、二十四時間に限定されているとはいえ、これだけ大規模な社会的イベントは、かつて存在しなかった。しかも、イベントは、テレビとそれにまといついているメディアの内部にある。あるいは内部にしかない。テレビがみずからを映すこと自体がイベントなのだ。かくして、いかがわしさ(偽善性・欺瞞性)もまた頂点に達する。萩本はいかがわしさにそしらぬふりをし、気がついているタモリは、いささか自嘲的であって、そこにも創出と演出がイベントをつくったということの一端が暗示されている。

　創出と演出の目標を実現するために、一定の視聴率とイベントの規模を確保するために、何週間か前から事前のキャンペーンがはじまる。メディア装置の自動メカニズムを活性化させる準備的段階である。〈愛〉〈地球〉〈身障者〉という価値・メッセージがリフレインされ、祭祀の相言葉もメディアとして作用するように準備される。そして当日になると、巨大な規模のイベントが現出する。ある意味で、作為・操作・演出の意図ははじめから明白なのだ。要するに、このイベント全体がやらせだけなのである。しかし、すべてが、作為と演出のせいだとはいえない。何故ならば、マス・メディアと価値・メッセージというメディアがある結合をしたとき、社会的現象・ブームが実現するという自動メカニズムが明らかに働いているからだ。チャンネルを選択する、イベント会場へ出かける、募金に応ずる、という行為は基本的には自由である。何ら外的強制は働いていない。その証拠にイベントに参加しないひとのほうが多いではないか——このことは、規模の巨大さと抵触しないのだが。つまり、自動メカニズムの一端は、ひとびとの心の中に装置されているということなのだ。社会的現象・ブームの終結点は、ひとびとの日常的会話における話題化にあるのだから、当然といえば当然なのである。したがって、テレソンというイベントの実現がすべて作為と演出のせいだとはいえない。全メディアがつくる現代の自動装置があって、はじめて可能なのである。

何らかの社会性をもった話題（例えば献血等々）をテーマにしたこの種のキャンペーンは、小規模のものを含めると、テレビ局・ラジオ局・新聞によって、ほとんど常時行なわれている。地域的であったり、規模や期間にちがいはあっても、イベントの基本的なメカニズムはテレソンの場合とまったく同じである。古典的ジャーナリズムの中にあった、社会とひとびとへ仕掛けてみるといういささかいかがわしい生理は、現代では、こうした社会的イベントの創出と演出という形をとって現われている、といえよう。

意識・行動の多様性と現象の大量性

大量現象とメディアミックス

社会的現象・ブームとは、情報を伝達し拡散するさまざまなメディアの運動が激しくなり、現象・ブームに参加するひとびとの行為を意味づけるメディアとしてのさまざまな価値・メッセージが生気を帯びて立ち現われてくる状態であった。そして、主観的な個人的意味づけは異なっていようと、あるいはまた現象化したひとびとの行為・行動はいくつかあるにしろ、何らかの共通の形をとり、そして大量化する。ここで重要なことは、まずAはテレビをみるだけ、Bはイベントに参加し、Cは募金する、そしてDはまるで無視するという行動形態のちがいがあるということ。イベントに対する心理的な構えがまずちがうのだ。もちろん、イベント創出・演出の主体はCの行動形態へ誘導しようとするだろうが。次に、例えば同じAの行為をするひとびとにしても、その動機は一様ではない、ということ。念のためことわっておくと、こうした意識・行動のレベルでの様々なちがいは、決して現象・ブームの規模の巨大化・大量化を妨げない。様々な態度・行動の混在・共在がむしろブームを促進させる。結果として行為の外形は一致しても、そこにいたる過程は同じではないのである。まず、心理的な構えも社会現象に対する意識のありようも態度もちがう。のみならず、日常生活の形、なかんずく情報伝達メディアとの接触形態がちがう。こうした心理・意識、趣味・嗜好、生活行動のちがうひとびとを、例えばあの四つの行動形態に大量に動員する——どうしてそういうことが可能なのか。

たしかに、テーマをいささか過激に装って提示してみせるということもあるだろう。社会的現象・ブーム化の終結点は、ひとびとの興味と関心をかきたて話題化することであった。メディア接触が多様であるとするならば、イベント創出・演出者が、反射的、本能的にとる方法のひとつは、様々なメディアを、様々に使いながら、情報を伝え、テーマを提示してみせるという、いわゆるメディアミックスの方法ということになるだろう。最初にあげた〈トットちゃん現象〉についていえば、予定調和的、事後的にメディアミックスが成立し、各メディアの力は、相互補強的、相乗的に作用していたようである。テレソンでは、テレビを主体にして、新聞、雑誌、情報誌、そして広告の相互補完的作用が、意識的に実行されている。

歌がはやり、流行語がつくられ、髪形・モードのはやりがあり、スキャンダルが話題になり、あるタレントに人気が集まる。流行という現象は、メディア装置の中を、何らかのアイテムが大量に循環することである。循環の度合は、各メディアがそのアイテムをどの程度とりあげるかにもかかっているが、アイテムがもつ価値・メッセージの強さ、関心と興味を喚起する衝撃性に負うところが大きい。関心と興味がおもむくということは、つまるところアイデンティフィケーションが実現することと、ひとびとの主観的状態と共鳴するということでもあるから、アイテム自体が価値とメッセージというメディア性を強くもたねばならない、ということもあるだろう。オリンピックや選挙やスター・アイドルのスキャンダルは、アイテムの衝撃性・重要度が、自動的にメディアミックスをつくってしまう例である。とはいえ、アイテムのもつ価値メディア性と伝達メディアの活性化も、実は相補的関係にある。山口百恵という存在（アイテム）は、それ自体メディアであり、スター・アイドルとしての高い価値をもっていた。それ故に、雑誌を中心とした各メディアがいっせいに活性化し、引退ドラマを報じた。その報道がまた、彼女のスター性を増幅する。そして、その上で終結点である話題化とひとびとの行動の顕在化は、このふたつのメディア性の積の関数である。さらに伝達メディアの活性度は、アイテムの露出頻度と駆使されるいくつかのメディアの組合せ（ミックス）の形態に依存する。テレビにどれだけ出演し、どれだけみられているかは、大変に重要な要因であり、あるメディアでとりあげたことが、他のメディアの行動を誘発することもある。メディアミックスの形態・方法は、話題化と社会的現象・ブームに対して、ひとつの独立要因、独立変数として作用しているかのようである。

先にあげたような様々な社会的現象・ブーム、あるいは大量社会現象が現に存在する。結果からみると、こうした現象の成立には、常に、メディアミックスがみられる。もちろん、意識的、作為的に実行されたのか、結果としてそうなったのか、というちがいはある。「結果としてみた場合」、といったのは、何らかのメディアミックスがあれば、必ず、大量現象が現出するとはいえないからである。多くのメディアミックスが失敗に終わっていることもたしかなのだから。しかし、大量現象成立の必要条件としてメディアミックスがある、という命題は常に成立しているのである。

社会文化的装置としてのマス・メディア

この経験的な事実と、メディアミックスが独立変数として作用しているという仮説から類推して、メディア装置の中でメディアミックスが部分的装置として作用していることはたしかだといってよかろう。そうであれば、この作用を意識的、意図的に使うという意思・意欲が生まれ、しばしば利用されて不思議ではない。テレソンが伝達メディアと価値・メッセージというメディアの操作・演出であったのに対し、メディアミックスはすぐれて伝達メディアの操作ということになろう。操作されるのは、まず、新聞、テレビ、ラジオ、雑誌等の主要な伝達メディアであり、さらに現在では広告が独立したメディアと規定され、使われている。加えて、各種新聞の多様な使い方、テレビの様々な使い方、ラジオの利用の仕方のいろいろ、各種雑誌の選択的利用、様々な広告形態の多様な組合せ方等々、メディアミックスという部分装置にも、実は大変に多元的な利用方法がある。伝達メディアだけでつくるメディアの部分装置というけれど、それが今日では巨大な潜在的構造を潜めている。そして実際に稼動するのは部分にすぎないのだが、そのポテンシャルの能力の故に、多様な利用が可能なのである。

ここでいう大量現象・流行現象の創出主体は、通常、伝達メディアの外部にいる。テレソンがイベントを伝達メディア(テレビ)に内在させていたのとは、若干、事情を異にしている。現象の創出者は、いわばメディアミックスの利用者である。メディアミックスは手段である。そして、歌であれ、モードであれ、スキャンダルであれ、現象の創出を意図している複数の主体の間には、厳しい競争関係がある。だから、彼らは、メディアミックスによる現象・イベントの操作・演出といった方法的自覚はあまりないかもしれない。何しろ競争に勝つための必然的な方法なのだから。しかし、現象としてつき放してみる立場からするならば、操作し演出するための装置・仕掛けが現に存在し、主観的な意思とは関係ないかもしれないが、操作・演出という行為も存在する。社会文化的装置としてのマス・メディアは、こうした働きをもち、そうした使われ方をするようになったのである。そして、重要なことは、操作され演出されているのは、装置・仕掛けであって、ひとびとの意識と行動では必ずしもないということである。意識と行動は、別の秩序(オーダー)に属する事柄である。けだし、メディアミックスが社会的現象・ブームを生起させないことが、いくらでもあるのだから。

メディアの自動メカニズム

事件とメディアの融合

ジャーナリズムの出現以来、メディア自身が社会的・歴史的事件を作り、かつ演出した実例がいくつか知られている。かつて、新聞がその気になれば、戦争のひとつやふたつ起こせないことはない、といわれたほどである。それもたしかだが、実際、事件は、しばしばメディアの外側で生起する。ところが事件を社会的に報道する様々なメディアが現に存在するという事情が、事件の当事者の意思と事件がたどる経緯に不断に影響を与えているのである。米中会談があいう形をとったこと、国会の本会議・委員会の討議にショー的な感じ・雰囲気が強くなってきたこと、スポーツのゲームの進行の形が変わってしまったこと等々には、テレビを中心とした報道装置が存在することと、そしてその報道の仕方にはほとんど唯一の原因があるといって過言でない。今日では、事件のどこまでが本来の事件で、どこからがメディアによって規定され創られた事件の様相なのかわからないほどに、事件とメディアは融合し、その合体したものが、ひとびとにはメディアそのものとして眼に映るのである。外側で起ころうとも、事件は、かぎりなくメディア装置に繰り込まれる、そういう文化的、あるいは文明的構図・仕組みができ上がってしまっているようだ。

こうした状況の中でも、メディア装置の仕組みに比較的、いやほとんど影響を受けないと思われる事件がないことはない。例えば、アポロ計画。宇宙船の地球—月間の往復は、科学的・技術的に厳格に計算されたプログラムに従って実行される——ということになっている。したがって、メディア装置、なかんずくマス・メディアの論理がアポロという事件の経過に介入できるとは思えない。「外側にある」とはこういうことである。アポロは、メディアが介入しにくい例外的なケースなのかもしれない。たしかに外側にあったのだが……。

アポロのケース——メディアの自動メカニズム

さて、アポロというイベントとメディアの関係。アポロのテレビ報道の視聴者への到達率は、オリンピックの報道の場合に匹敵するか、上まわっていたかもしれない。アポロ映像が流されるたびに、世界中の数億のテレビセットがチャンネルを合わせた。メディア装置にアポロがインプットされると、自動的にテレビセットがオンになる。アポロのケースも、メディア装置の自動メカニズムの運動形態、その活性化のパターンの典型を示している。メディア当事者たちの個人的な意思を越えて装置が働いてしまう、という仕掛け。この運動形態、仕掛け、活性化は、テレビメディアの遍在、通信衛星網、その前提となった情報技術が作ったメディアの技術的装置がもたらしたものである。今日のメディア装置は、こうした技術と装置を必ず含んでいる。

自動装置の二面性

この自動的技術メカニズムは二面性をもっている。まず、装置のある部分をおさえてしまえば、知識と情報の完璧な独占と管理は可能である。装置の構造と背景をみれば、悪意と恣意が介入しうる場と機会はいくらでもあるのだから。他方、この自動メカニズムは、すでに指摘したように、当事者の意思を越えて、まさしく自動的に動いてしまうという面もある。装置の技術面での即時性、情報搬送波の特性は、しばしば独裁的な体制の恣意と悪意、管理メカニズムを乗り越え裏切ってしまう。演出という名の管理の可能性の増大とともに、演出を無力にする条件も、この装置はもっているのである。この装置が働き出したのは、六〇年代であるが、今日までの事実についていえば、この装置を使った明確な形の情報管理はほとんど見当たらない。むしろ、装置にビッグイベントが挿入された場合の自動的作動の実例のほうがずっと多い。加えて、テレソン、メディアミックスといった装置の部分を使った操作・演出が数多くみられる。これは、情報・知識の独占・管理ということとは、範疇的にはまったく別個のものである。

アポロの場合、まず、伝達メディアが動き出した。それについであの「壮挙」をきっかけに、あるひとは新しい宇宙観を語り、またあるひとは技術の進歩をたたえ、そしてまたあるひとは文明と文化の未来を語った。逆にあるひとは、科学・技術・文明と文化の跛行性を指摘し、人類の社会と歴史の危機を語った。神話と反神話、文明論と反文明論、技術文明論と懐疑論が、あのメディア装置の中を循環した。そのいずれもが何らかの世界観＝コスモロジィを語っていたという意味で、語られたこと自体がひとびとにとってメディアであった。アポロが活性化させたのは、単に伝達メディアだけではなかった。価値とメッセージのメディアもまた、活性化したのである。

メディアの外側で起こった事件が、とにかく、メディア装置全体を動かしたひとつの典型的な例であったが、装置の独自的機能についていえば、装置によってアポロの事件性が増幅された事実を指摘しておかねばならない。アポロに象徴されるアメリカの明るい面が誇張され、一瞬ではあったが、ベトナム戦争という暗い面は稀釈され、後退し、忘れられた。この自動メカニズムは、ビッグイベントの増幅・誇張と、それによる他のイベントの〈価値〉〈意味〉の矮小化という機能を潜めているのである。したがって、外側で起こったとはいえ、アポロの場合、意識的であるか否かはともかく、結果として操作・演出がまったくなかった、とはいえないのである

意識の自立性

現在、様々な社会的事件に対する〈価値〉〈意味〉の客観的な配分の基準は存在しない。価値の多元化のひとつの帰結である。ある社会的・文化的事件が、客観的にどのような〈価値〉と〈意味〉をもつか、ほとんど決定不能なのである。ふたつの社会的事件が同時に発生した場合、どちらが重要なのか、決定できない。あるメディアが一方の事件をまったく無視してしまうような場合、つまり、著しい偏りのある場合に、不信・不安・不快といった感じをもつことができるにすぎない。総じて〈価値〉

配分のアナーキズムが、今日の傾向なのかもしれない。つまりは、価値の多様化ということである。メディア装置の活性度は、配分を一見指示し指定しているようにみえるが、装置は〈反価値〉にも開かれていて、結局は〈価値〉と〈反価値〉の相殺現象が起こってしまう。アポロの時、一瞬ベトナムは色褪せたけれど、メディア装置の中では、神話と同時に反神話も語られていたのである。テレビの前に多くのひとびとを誘導することはできても、特定の〈価値〉へのひとびとの意識と行動のキャナライズは、必ずしも容易ではない。いや、むしろ困難になってしまった。浅間山荘の時、国会での予算審議への注目を、一瞬そらすことはできたが、連合赤軍を〈反価値〉とし、予算審議を免罪にする、というふうに国民の意識が転換したわけではなかった。メディア装置をいじることは可能であっても、それが人間の操作に直接つながっているとはいえないのである。

　装置への接触を起点にしてはじまるひとびとの意識と行動の形態と運動、装置とひとびとの相互作用、装置の利用等々の、いわば人間の側の問題は、メディア装置の形態と運動とは独立の文脈で考察されるべきだ。

VII 情報システムと管理社会

気象衛星ひまわりの打上げ（1984年1月）

アポロは何を意味しているか

アポロと数字

アポロ計画とアポロ11号の地球と月との往復には、今まで私たちの日常的知識のなかにはなかった奇妙な数字がつきまとっており、これらの数字がこの計画と実現の意味の一端を実にわかりやすく伝えている。たとえばNASA（航空宇宙局）は、一九五九年の発足以来、六九年度までに三六四億ドル（一三兆円）の金をつかい、そのうちアポロ計画には二四〇億ドル（八兆七〇〇〇万円）をあてている。そして、この計画の実現までには延一七万人のすぐれた頭脳がつぎこまれ、一〇〇〇万をこえる部品を組み合わせてなお九九・九九九九％の精度を確保した。その上でテレビによる生中継という六〇年代の前半までは誰も予想もできなかった方法で、六億人をテレビ・セットに釘づけしたのである（一九六九年七月二十一日）。この数字だけで、考えようによってはアポロの問題の全容をほとんど語りつくしている。しかしあえて二、三の数字を付加しよう。ふだんはテレビ接触率がゼロである七月二十一日午前五時十七分（「イーグル」の月着陸時）に東京での視聴率は二六・七％に達する。「月面歩行」の瞬間（午前十一時五十六分二十秒）には、六二％、普通だとこの時間の視聴率の総和は二〇％どまりであった。この瞬間には、奇妙な数字はほかにもある。電力の消費量、車の交通量、株式の一部上場出来高、各映画館の入場者等々……。

この瞬間、人びとの生活は、常態の時のそれからある程度の偏りをみせた。この偏った形態は、その時から何年か後にくるであろう将来の社会のそれであるといえないこともない、瞬間的に成立した未来社会の一つの状況であった。

アポロの意味

計画の成功から今日に至るまで、月の成因にはじまる、諸科学の発展に寄与することがいかに大きなものであるかということ、そして、それが人類の偉大さを示す壮挙であることが強調され、しかも着陸当時、テレビに登場した解説者たちが、その「大なること」を表現するコトバに困っていたという事実があるにしても、実は人びとは、この壮大なショウが、もっと別の動機にはじまることを知っていた。月への往復ともち帰った月の物質が人類にもたらした知識の量は、一三兆円という金額と比べてみた場合、ほとんど無価値に等しい。一三兆円を自然諸科学の研究に直接に投入した場合に得られる知識の総量は、それこそぼう大な量に上るはずで、人類の偉大さを正常な神経で示すとしたら、人種差別、貧困、戦争の絶滅を実現するほうがわかりがよい。

それにもかかわらず、アポロはプライスレス（無価値）ではなかった。私たちは、そこにどのような価値があったかを見出す必要がある。つまり、誰しも気づいていた、アポロ計画の本当の動機をさぐりだしてみることである。アポロ計画の所期の成果は、期待以上の波及効果を含めて、ほとんど実現しているとみてよい。アポロというイベント（事件）は、未来社会の瞬間的な先取り現象であるばかりでなく、現代社会のさまざまな問題を背景にした、突出部分であった。問題はその突出部分を支えている背景に一体何があるか、ということだろう。

国家の威信とアポロ

一九六一年、ミサイル・ギャップに深刻な危機感をもったアメリカは、五月二十五日の故J・F・ケネディ大統領の演説をもってNASAによる月旅行アポロ計画の推進をはじめる。六一年は、またソ連が核実験を再開した年で、米ソの関係は再び冷却する。アポロ計画の初年度がこうした状況におかれていたことは、この計画のもう一つの相貌と関係がないとはいえない。つまり、アポロ計画は科学技術の発展と偉大な科学的諸発見をもたらすことと、高度な政治的意味との二つの魂をもって出発する。この二つの魂は、一九六九年の時点ではどう開花していたか……。

科学と人類の偉大さについては先にも述べた通り。一九六九年度の国防費は七九八億ドル、うちベトナム戦にあてた費用は二五八億ドルに達している。アポロ計画の全費用を上まわっていた。これだけの費用を使ってアメリカは国際世論から孤立し、しかもベトナムという要因と、もうひとつたぐいまれな豊かさ故にさまざまな国内的な矛盾に悩まされていた。だからこそアポロは必要だった。つまり、ベトナムの二五八億ドルと豊かさ故に生まれた負債を二四〇億ドルによってかえす必要があった。アポロ・ロケットの打上げまで、アメリカの「良識的」な意見が根気よく主張していた反対論は、打上げの後には鳴りをひそめてしまう。あの冷静さをもってベトナム戦争に反対をつづけ、アポロに関しては地上のことを忘れてはならないといっていた『ニューヨーク・タイムズ』も巨大見出しをつけてしまった。こうして一九六五年以降、その内的な対立を克服しえなかったアメリカは、おそらく空前の規模のナショナル・コンセンサスを手に入れることができたのである。

それぱかりではなかった。ミサイル・ギャップから生まれた劣等感は影がうすれ、アメリカの全世界に対する国家的威信は回復され、ベトナムにみられるアメリカの最も醜悪な面は月の女神の微笑によって中和された。

アポロが、高度のロケット工学・機械工学・金属工学・情報工学・システム工学的技術に支えられていることは後でふれよう。ここでもう一点指摘しておきたいことは、こうした工学の技術の進歩はただちに軍事的な意味をもつということ。国家の威信の回復は、それがもたらした宇宙情報やナショナル・コンセンサスといった形而上的な側面のほかに、その軍事的意義というきわめて即物的な側面のあることを忘れてはならない。アポロは最初からプライスレスではなかった。その裏には十分な計算を可能にする高度の政治的数学があったのだ。

アポロの波及効果

アポロ計画がさまざまな工学的技術に依拠するものであることは、あの生中継の間、私たちがしばしば目にし、耳にしている。こうした工学的技術の開発、いいかえると、間接的な投資は文字通り巨大な波及効果を生む。たとえば、システム工学・電子工学の技術は、いわゆる情報技術・コンピュータ工学の技術以外の何ものでもなく、この産業部門に与える効果は大きかった。連邦予算のほぼ半分の軍事費、この正当性を保証しているベトナムと米中の対立、そして、ポスト・ベトナムがささやかれ、米中の交渉が再開されたという事実があり、これらの事実の展開の論理的帰結は、緊張緩和、軍事費の削減、アメリカ経済の部分的変質である。アポロの波及効果は、こうした状況の中で大きな意味をもった。この波及効果も、おそらくあの計算の中に入っていたであろう。つまり、あの計算は高度の政治的数学のみならず、対国内政治、なかんずく経済政策上の数学の結果でもあった。

こうしたいわば経済的な——技術的なという意味を加えて——波及効果のほかに、もう一つの効果があった。アポロの成功は、システム工学という新しい「技術」に負っている。システム設計という手法に基づくシステム計画・設計には二つの側面がある。第一に、ロケットの発射から地上への帰還に至る数多くのプロセスを、予定された計画に基づいて寸分の狂いもなく制御したのは——もっとも月面着陸寸前に手動にきりかえられたが——宇宙船に搭載されたコンピュータと地球上の各地に点在していた連絡基地、さらに、ヒューストン基地におかれた数台のコンピュータを全体として統括していた、コンピュータと通信設備が一体となった全体系(システム)であった。これはシステム工学の成果である。

第二に、一〇〇〇万点に及ぶ各部品を確実に働かせるためには、おそろしく厳密な信頼性、信頼性のテスト、品質管理が必要になる。こうした製品の信頼性を生みだす技術、その品質管理のための技術が高度でなければならないことはいうまでもないが、これらの部品の製作過程、組立作業、テストの過程における人間的要素もまた重要である。アポロには一七万人の頭脳が投入されたといわれているが、部品の製作過程をいれると、おそらくこれに数倍する人びとの作業があったはずだ。こうした人びとの無数の個別的な作業を一つの目的のため統合しえたのは——そして成功はその統合に錯誤のなかったことを立証している——やはり広い意味のシステム工学の勝利といわなければならない。

この第二の側面で、システム計画・設計に基づいて制御されたのは、いわゆるシステム工学における「物」とその運動だけではなかった。つまり、①物質とその運動、②それにかかわる人間的諸要素、③それらに関する「情報」もまた制御されている。社会は、ある意味では、この三つの要因と、それらの制御の体系といえないこともない。システムに対する、ここまで拡張された工学的技術をさして社会工学という名称を使うことができる。その意味でアポロは、社会工学という手法の一つの実験の場でもあった。

アポロ・コミュニケーションの構造

宇宙船の月着陸は六億人の人びとにテレビを通じて即時に中継され、東京では視聴率が六〇%をこえたことは先にもふれた。この数字は、アポロが月に到着した時点での世界的なコミュニケーションの構造の一端を示している。

アポロにおけるコミュニケーションもまた、二つの側面から考えることができる。第一は、ヒューストンとアポロ宇宙船の間のコミュニケーション。ここでは両方に設置されたコンピュータの間と、基地の人びとと船上の人びととの間との複雑なコミュニケーションが、最新の情報技術を駆使しながら致命的なトラブルもなく遂行された。あのぼう大で複雑な全プロセスは、この二重のコミュニケーションによって制御されていた。第二は、月、宇宙船上ないしはヒューストン基地、地球着水の母船上を起点として私たち視聴者を終点とする、これもまた巨大なコミュニケーションのネットワーク。このコミュニケーションにおいても、ヒューストンの宇宙センター、地球に数ヵ所設置された受信基地、海底ケーブル群、マイクロウェーブの体系、通信衛星、各地の放送局、新聞社そして聴視者などを結ぶコミュニケーションのネットワークが、やはり高度の通信技術、大量のデータ・ファイルを使いながら形成されていた。

アポロが私たちに提示している問題の重要なところは以上のとおりである。これらの問題を掘り下げ、その現代における意味を明らかにしてくれるのは、自然科学的知識とともに各種の社会科学的な知識であろう。ここで注意しておきたいことは、たとえば、アポロで示された情報技術の発展がどのような意味をもっているかについて、ある単一の科学の部門だけでは十分な答を出すことができそうもないということ。一見簡単にみえることであっても、それを解明するためには数多くの科学の分野の協力が必要なのが現代の特徴である。ちょうどアポロ計画を遂行するためには各種の科学的知識や技術が必要であったように……。

ここでは、こうした点を考慮しながら、社会学の伝統的な領域に比較的近いと考えられるシステム工学の問題と、コミュニケーションの問題にかぎって考えてみよう。

システム工学から社会工学へ

システムとは何か

宇宙ロケットを上げたり、人間があるものをつくりだすことは、一つの目的と規定できる。目的が設定されると、それを遂行するために、どのような物質、エネルギーが必要か、それを操作、加工するためにどのような過程が要求されるか、その過程を制御(コントロール)するために、どのような情報の処理が必要か、人間の精神的・肉体的労働力はこの過程にどういうかかわりかたをもつか、それはどのように組織されねばならないかといった問題が必ず生じる。かつては、こうした要因を経験的な知識や既存の組織や機構、物やエネルギーの変換の仕組みを前提にして、少々の不正確さ、無駄、非能率、失敗を覚悟の上で、相互に組み合わせている。しかし、たとえば宇宙船の月との往復には失敗は許されないし、そのためには各部品、各プロセスには極度に厳格な性能が要求されるし、また、企業間の競争が激しくなれば、無駄や非能率を排除することが必要になる。こうして先に列挙したような全過程、諸要因を、より合理的に制御する必要が生まれる。

システムというコトバがつかわれるようになったのは、先にあげた諸要素や過程は相互に緊密に結合されていて、ある部分がとび抜けてうまくいっても何の意味もないという構造をもっているということ、したがって、これらは内的な相互依存度が非常に高い構造をもっているという考え方が意識的にとられるようになってからといえよう。システムとは、一つの計画(プロジェクト)を遂行するために必要なすべての要素、過程間の論理的な関連の状態、と定義することができる。

システム工学と社会工学

一つのプロジェクトを遂行する場合に、それに必要な諸要素、諸過程を体系としてとらえ、そのシステムをより合目的的、より能率的に作動させるためには、まず、要素、過程を定量化し、これらの値を変数とした複雑な関数をつくらなければならない。こうしてつくられた関数がシステムの全構造を正しく表示しているとしたら、次にはこの関数がどういう状態にあるとき、システムは最も能率のよい状態にあるかを決定する。こうしてシステムの全体の性質が明確になり、この関数によってシステムの運動をシミュレートすることが可能になる。このシミュレーションによってシステムの動きがわかれば、逆にシステムをよりよく作動させるためにシステムの変換を関数の変換から導きだすことができるようになる。つまりプロジェクトが設定されると、この論理関係から逆に、システムの設計が可能になるわけだ。以上がきわめて簡単であるが、システム工学の考え方の概要である。この手法は、実は従来自然科学のある部門でとられていたものであり、その手法、ものの考え方をシステムの解析、設計にとりいれたのがシステム工学であった。

アポロ計画ではこの方法が当初から意識的に採用されている。採用せざるをえない理由があったのだ。先にも述べたように、アポロ計画では、物やエネルギー、その変換のプロセスだけではなく、人間的要素（肉体的・精神的労働力）までがその制御の対象になった。人間的諸要素の制御が可能であるということから新しい問題が発生する。

社会は、物質、エネルギー、その運動の形態、それにかかわる情報の過程、これらの全過程と相互依存的な関係にある人間的要素の、体系から成っている。これらの諸要素の関係のあり方は、社会によって異なっているし、また社会の発展にともなってさまざまである。しかし、ある特定の社会が存在していて、その社会で何らかの解決すべき問題が起こった場合、この社会を一つのシステムとしてとらえて、問題を解決するということは、システムの一部の変換を行なうことである、という考え方は、現代に固有のものであろう。この考え方は、社会システムのいかんを問わず、問題解決とは、システム変換にほかならないこと、したがって普遍的な性質をもつものであることを示唆している。社会工学の手法を一つの体系（システム）としてとらえるという考え方から、当然、次にでてくるのは、先のシステムをこのように社会に適用してみようという考え方である。こうした考え方を社会工学という。

社会工学の立場で積極的に社会を定義したものはないが、社会を体系（システム）として、つまり物質、エネルギー、情報、人間的要素の適合的結合としてとらえ、しかもそれを関数関係によって表示しようという考え方は、自然法による社会の定義、有機体と社会とのアナロジィ、心的相互作用に形式を与えるものとしての社会、階級的対立のダイナミズムとしての社会、意味をもった人間の行動の総体としての社会、機械とのアナロジィによってとらえられた社会、といったような社会についてのイメージとはかなり異質なものであるとみてよい。

社会をこのようにとらえる社会工学の立場に立つと、社会の変革・進歩は、システムの全的ないしは部分的変換と定義される。システムは決して閉じた、固定化された状態にあるわけではないから、常に変換が可能である。しかも、それは関数関係によって表示され、その動きについてのシミュレーションが可能だから、あるのぞましい状態に関数をもっていくためには、諸変数をどのような状態にすればよいかをあらかじめ知ることができる。こうして、あるべき状態を知って、システムの変換、つまり社会の変革が可能になる。社会工学は、こうした現実的な問題の解決のために案出された社会に対する一つの政策的立場であるといってもよい。

官僚制化とシステム化

かつて、社会そのもの、ないしは社会を構成する部分社会を一つの合目的的な組織としてとらえた人にM・ウェーバー(一八六四―一九二〇)がいる。ウェーバーは、社会の発展を合理化の過程としてとらえるから、その構造もまた合理化=官僚制化の過程をたどるものと考える。官僚制の特徴は、組織の目的にとって必要な活動が明確に区分されていて、これらの活動を遂行するための命令権限もまた明確に区分・定義され、上下関係が明確に整序された体系であり、この活動に従事することができるものは専門的な訓練をうけたものだけであり、そして職務執行には明確な規則がともなっている、といった点にある。さらにウェーバーによると、官僚制は、近代国家と資本主義的企業体に主として現われる組織の形態であり、それは官僚制が純粋に技術的にすぐれているからであるということになる。つまり官僚制（的組織）は、正確性、恒常性、迅速性、計算可能性、没主観的専門性といった点で、それ以前の他の組織形態に勝っている。こうしたことが組織に対して要求されるようになったのは、国家機構や企業体の事務が量的に増大したからであり、また活動が質的にも拡大し、そこにある種の内的な組織機能の変質があったからである。

業務（組織）の内容を明確に区分してとりだしてきた部分と、部分を義務と権限（それを規定する規則を含めて）による結合としてとらえ、しかもこの官僚制的組織の展開が普遍的な歴史であるとしたウェーバーの考え方には、歴史に対する深刻な洞察が含まれているとみてよい。つまり組織の官僚制化は、あるていど普遍的な現象として起こるということだ。

ウェーバーにおける官僚制は、「機械」をモデルにして組織をとらえるところに大きな特徴があった。これに対して、システム化という発想は、組織をより動的にとらえようとしている。つまり、システム化的発想は、組織を人間の組織に限定する（ウェーバーの場合）のではなく、人間的組織と物質、エネルギー、情報の組織をその運動の視点から総体としてとらえ、形態転換を不断に行なって現実に適応している「生物体」をモデルにしている。

したがって、社会工学におけるシステム化的発想は、官僚制化をさらに進めた一つの組織論としてとらえることができる。しかし、官僚制化という発想が、「組織」の組織論に止まったのに対して、システム化は、都市計画、交通問題、社会政策、犯罪防止等々の、いわゆる社会問題に対する一つの

「組織論」という特徴をもっている。しかも、こうした問題を数学的シミュレーションを基礎にして情報中枢を設定して一元的に制御しようとする。つまり、ある意味でメタ組織論的な社会組織の方法であった。

社会工学の実例

アポロの成功は、システム工学の勝利であるといわれるが、ここで採用された方法は、多分に社会工学的な方法と重なりあっている。その意味で、アポロは社会工学の一つの実験でもあった。

こうした実験は他にもある。たとえば、アメリカのカリフォルニア州は急激な都市化で多くの問題をかかえていたが、これらの問題に対して犯罪防止システム、公害に対するシステム、交通・運輸に対するシステム、さらに、州の行政に必要な情報システムを設計し、問題の解決にとりくんでいる。このシステムの設計にあたったのが、航空宇宙産業に従事しているスタッフであったということは注目に値する。この方法はまた後進国の開発にも応用され、ペルーにおける経済開発や、ブラジルでの交通・運輸問題の解決等々に適用された。完全な成功をおさめたわけではないが、部分的には成功の例もある。

とにかく、いずれも自然科学的・工学的技術によって、社会、つまり、物質、エネルギー、情報、人間の集中的な制御という方法を採用している。これは官僚制による支配という形態をこえた新しい制御（＝支配・管理）の方法といわねばならない。ここから必然的に「管理社会化」という問題がでてくる。

情報化の方向

アポロとコンピュータ

アポロにおけるコミュニケーションの一つの側面は、ロケットの打上げから月着陸、そして地球への帰還という複雑なプロセスを完全に制御した、コンピュータを中心にする情報の収集・加工・処理・伝達のシステムである。「月に着陸する時には手動であり、やはりコンピュータより人間がすぐれている」という指摘もあったが、むしろあれだけの複雑なプロセスにおいて、手動はその時かぎりということのほうに着目すべきだろう。つまりコンピュータがオーバーロードにならなければ、あの壮大なドラマはコンピュータだけで十分にやりえたのである。ロケットの発射から、カプセルの着水までは、いってみれば物質の移動と形態転換、エネルギーの転換という一つの物的な過程にほかならない。こうした過程は、広い意味での人間の自然に対する働きかけ、つまりは人間の生産活動であって、従来、人間の知的活動、コミュニケーション活動によってたえず制御されてきた。発射から着水にいたる過程に限定すると、コンピュータのコミュニケーション(情報操作)だけで制御したことになる。かりにこの種の人間のコミュニケーションを、生産的コミュニケーションと定義すれば、生産的コミュニケーションは、コンピュータに、つまり、機械に置換することが可能なのである。アポロは、現代において、生産的コミュニケーションがどのような形で機械に置換されうるかを示す一つの典型的な例であった。それを可能にしたのは、コンピュータと、通信技術であり、その基礎には高度に発達した電子技術、情報技術があった。これらの技術は想像を絶するほどに加速されて発展しているので、早晩、アポロの例は、普遍的な現象になるものとみてよい。

生産的コミュニケーションが機械におきかえられるということは、物的過程と人間との関係が変わることを意味している。つまり従来は機械系（物的過程）と人間系（情報過程）という関係であったが、新しい形態では機械系と情報系と人間系が一つの関係をとり結ぶ。もちろん人間系は常に存在する。アポロの場合でも、発射までにどれだけの人間の精神的・肉体的労働力が投入されたことか。そして、発射後の過程の制御をコンピュータに教えた（プログラムを組んだ）のは、人間であった。問題は情報系が相対的に自立した点にある。情報化ということを事実に即していうと、生産という場での情報系の自立と、その拡大と質的転換（コンピュータが入ってきたということに象徴されるような）に求めることができる。このことが、社会全体にとってどういう意味をもつかということ、あるいは、かつてその情報系を担当していた人間にとってどういう意味をもつかということが重要である。しかし、このことは将来の問題だ。

アポロ報道体制

次に、まえにあげた第二の側面にうつる。まずアポロ報道における電波の動きを追ってみよう。月からの電波は三八万キロをとんで、オーストラリアのパークス天文台の直径六四メートルの電波望遠鏡で受信され、シドニー地上局から太平洋上の通信衛星「インテルサット」にあげられ、カリフォルニアのジェイムズバーグの地上局へ、そしてマイクロ回線でヒューストンのNASA航空管制センターへ送られる。ここで、マス・メディアにのった電波は、大陸をマイクロ回線で縦断してニューヨークへ、そして、またマイクロ回線で西海岸のジェイムズバーグ地上局、そこから「インテルサット」へ、そして茨城の地上局での受信をへて、東京のテレビ局へ、東京のテレビ局からは直接、ないしはマイクロ回線を通じて地方ローカル局へ、そして家庭へと流れる。これは一つの技術的な過程にすぎない。しかしこの過程もまた、気の遠くなるようなさまざまの通信設備に支えられている。これらの設備が、まえに述べたアポロ・ロケットの飛行と同様に、高度の情報技術、電子技術を前提にしていることはいうまでもない。ここで問題にしたいのは、これらの設備が、さまざまな所有・管理主体によって保有されているということである。ということは、このコミュニケーションの過程には、多くの主体の意志が入りうるということ。しかも、その主体は主として国家機関、ないしは公的機関であり、この過程の中で、従来、社会的コミュニケーションのほとんどすべての部分を担当していたいわゆるメディアの位置が極少になったことに着目しなければならない。

しかし、問題はこれにつきない。かつてジャーナリズムの理想的な形態は、事実に対してジャーナリストはじかに自らの眼で確認し、それに対して自らの意見を付して記事をつくり、それをメディアを通じて「公衆」に伝達するというものであった。しかもこの形態は、ジャーナリズムにとって、国家権力をはじめとするすべての外的な権力から自由であるということになっていた。しかし、社会の発展にともなう拡大化、分化、複雑化の中で一個の情報企業が、「公衆」にとって有意味の情報をすべて自由に、自力で収集することが不可能になるにしたがって、そして、他方での公的機関の機能の拡大にともなって、その取材源を公的機関に求めざるをえない状態になった。このことは社会において情報が増大し、質的に多元化する傾向によってさらに促進させられる。こうして、権力とメディアの関係は微妙なものとなる。情報化は、この傾向を強めるはずである。

アポロにおいて、この現象の一つの極点が明示された。取材源（現場）は三八万キロのかなたに遠ざかり、その距離をうめてくれたのは、巨大な技術的手段と、これまた巨大な組織である航空宇宙局（NASA）であった。ジャーナリズムが正常に機能していた時でも「公衆」は、ジャーナリズムが提供してくれたものを事実としてうけとり、しかもその真偽をたしかめようがなかった。アポロでは、そして情報化状況の下では、そのジャーナリズム——いや正確にメディア——が、かつての「公衆」の立場にならざるをえなかった。メディアは、NASAが提供する映像をうけとる以外になかった。しかも宇宙計画に軍事的意味があることは先にもふれたとおりである。メディアの取材活動がそのために、あるいはそれ以外の理由もあってさまざまな障害にぶつかったであろうことは十分に予想される。映像は、一つの公的な機関がつくり、そして公的な機関によって伝達される、その背後にある、あるいはうつされなかった事実に対して接近する手段がまったくない、といった状況の中で、メディアは取材・伝達の仕事を強いられる。しかもアポロでは、さまざまの通信手段がアポロに独占され、それ以外の事実の報道を行なう技術手段がなかったといわれている。メディアの位置が極小になったということは、メディアの主体性が零に近くなったということでもある。そのもう一つの証拠は、わが国のテレビが、全く同一の映像しか流さなかったことにも求めることができる。アポロ報道の構造の最大の特質は、ここにあった。

最後に指摘しておきたいことは、アポロにおいて情報は極度に増大し、しかも六億の人びとの耳目をひきつけたが、しかし、この情報の状況はなんと貧しかったことか。少なくとも、メディアのみならず私たちもまた、それ以外の数多くの情報から疎外されていたという事実がある。おそらく将来の情報化状況には、情報の独占とその氾濫(豊かさ)と貧困が点在する事態が現出するとみなければならない。これもまた情報化ということを示す一つの事実にほかならない。

情報化ということに関しては、このほかにもいろいろと指摘される点があるが、ここではアポロをとりあげて、少なくとも事実として指摘しうる二点をあげるに止めた。もちろんこれ以外のことも、いずれは「事実」となって私たちの目の前に現われるにちがいない。

管理社会

社会工学的発想と管理社会

すでに組織の官僚制化にともなう人間の自己疎外の問題は何回も指摘されてきた。それは機械が人間を制御するという点で問題であった。社会をシステムとしてとらえる考え方では、先にも述べたように、官僚制という発想では除外されていたさまざまの社会的要素をも含めて制御(コントロール)の対象にしようとする。つまり、本来人間の自由意思あるいは創造的意思にまかされるべき要素、つまりは、人間的要素をも一つの変数としてシステムに内在化させようとする。システムに内在化させるためには、先にも述べたように要素を定量化しなければならない。ところで、人間の意思とか意識とかは果たして数量化が可能なのだろうか。システム化的発想は可能だとして定量化している。その場合に、数量化が可能な部分はよいとしても、可能でない部分はこの関数関係の中で強引に制御されることになる。

システム化的発想がどこまで考えているか、必ずしも明白ではないが、アポロ計画においては現に人間的諸要素は厳格に制御されていた。またそうしなければならなかった。制御の対象は、物質、エネルギー、それに関する情報のみならず、人間をも含んでいた。行政機構の合理化(コンピュータを主体にした)は、住民の総体的・集中的管理を指向しているし、企業におけるコンピュータの利用は、多分にこうした側面をもっている。つまり、アポロや軍事的情報システムにみられるような、成功した典型的なシステムは、国家機関、公共機関、企業体などの限定された目的をもつ組織や、あるいは、それらが行なうプロジェクトには、利用可能なのである。そこでは精神的・肉体的労働力の制御と、人間に対する管理が徹底的に行なわれる。合理的なことだからという理由に基づいて……。こうした事態がかなり普遍的な現象になった社会を「管理社会」とよぶならば、「管理社会」はすでに始まろうとしているといっても過言ではない。

情報化と管理社会

アポロの報道体制では公的機関による情報の独占という事実があった。メディアをもう一つの社会的機関とみるならば、アポロの情報システムは巨大な情報の独占の体制であったといえよう。しかもこの体制は、発展した技術を採用したことからくる一つの論理的・必然的な帰結でもあった。技術の発展がもたらした一つの避けがたい事実なのである。

この報道体制が、六億の人間を相手にして一時的には、世の中にアポロしかないような状況を現出したということは、それがいかにすぐれた社会的情報のシステムであるかということを物語っている。支配権力は、おのれの意思に従って社会を制御しようという衝動を常にもっている。そのためには、あらゆる手段を駆使することをいとわないわけで、最も有効でかつ危険性の少ない方法は人びとの心の中に同調のメカニズムを作りだすことにある。シンボルの操作はそのための手段であった。シンボル操作とはとりもなおさず情報の操作であり、そのためには一定の情報システムが必要になる。問題はそのシステムの効率にのみ関心がもたれるところにある。アポロの報道体制は、最も効率の高い社会的情報システムの一つを示していた。社会を管理の対象とみる支配権力が、そこに有効な支配の手段の一つを見出してもおかしくはない。アポロ・コミュニケーションの第二の側面は、こうして管理社会の問題と結びつくことになろう。

もう一つの面はどうか。システム化は、システムに内在する情報システムをどう「システム化」するかというところに重大な関心をもたざるをえない。システムのより能率的な作動は、システムの設計とコンピュータの利用にかかっているわけで、内部の情報システムをどう設計するかが重要になる。公的機関、企業体はそれ自体としても、この問題に関心をもたざるをえない。そして情報システムの最も合理的な一つの典型がアポロの場合であるとすると、情報操作の合理化、システム化と直接に結びつく。つまり、先に述べた第一の情報化は、直接に管理社会化の問題と結びついている。

情報化は、こうして管理社会化の一つの局面を構成する。私たちはここで、技術の現代的な段階が、こうした事態の到来に重要なかかわりをもっていることに注目しなければならない。単純きわまりない自然科学的技術が、ひとたび、ある体制をもった社会で採用された時に、どのような形で社会的意味に転換するかの実例をアポロに見出すことができる。アポロとは、きわめて普遍的かつ社会的な現象であったといわざるをえない。

VIII コミュニケーション論と記号論

メディア人間論へ

有楽町センタービルに西武と阪急が開店（1984年10月）

コミュニケーションの記号論的モデル

「文学は誤解によって成立する」

「文学（作品）は、誤解によって成立する」。高校生の時にきいた高見順のことばである。素朴で幼い文学観、文学観ともいえないあやふやな小説観しかもちあわせていなかった少年にとって、作家の一言は、いかにも衝撃的であった。この命題を論理的に敷衍してみる、一般化してみる、あるいは命題のコロラリーをつくってみる――そういうことを乏しい語彙を駆使して考え込んだフシがある。その結果、狷介な作家の鮮烈な一言に半ば酔いながらも、ひととひととのかかわりの間に深くうがたれた運命的な亀裂を思い知らされて、戦慄せざるをえなかった――定かでない記憶の中に、その戦慄だけが残っている。

少年の潔癖さ・一途さは、ことばになったエクリチュール、文字という形をとったエクリチュールが、話者ときき手、書くものと読むものとの中間に自立し、両者を限りなく乖離させるというイメージを、ためらうことなくつくりあげてしまった。もちろん、青春期に固有のうつり気は、このペシミズムに、少年をして長くとどまらせたわけではなかった。しかし、今の大人のことばで表現するならば、「コミュニケーションの断絶」あるいは「不連続性」とでもいうべき観念が、少年の心に何やら傷痕のごとく、巣喰うことになった——その傷痕が後になってうずいたのである。

実際、その気になって眼をこらせば、身のまわりに、誤解と、コミュニケーションの断絶・不連続は、いくらでもあった。通常は、世代差、境遇差、出身階層差、性格差による誤解であり、断絶であるとされていた。こうした常識的・学問的説明は、表現されたものが、話者ときき手の中間に独立に存在するらしいというさかしらを知ってしまった少年、いや青年期に達していたぼくにとって、必ずしも納得的ではなかった。

テクストの自律性

「表現されたものの独立」とは、いうならば「テクストの自律性」ということであろう。話し手も書き手もつくり手も、そしてかれらの意欲・意思・意図も不可視になり抹消されて、表現されたものが、自立して自律性を獲得し、それ自体として、きき手・読み手の前にある。読み手は、表現されたものに含まれる意味だけを読みとろうとする。読みとればいい。エクリチュールを構成する単位記号と記号の組合せから読みとりうるすべての意味、その意味のうちどれを読みとろうと、自由である。許されている。この限りでは誤解も正解もない。テクストとはそういうものだろう。こうした意味の断絶と不連続の連鎖というコミュニケーションの形を、周辺にいくらでも発見できたのである。コミュニケーションの一般型、少なくともぼくらの国のコミュニケーションの普遍とは、結局、こういうものではなかろうか——そう思われたのである。しかし、エクリチュールが自律性をもってしまうと、コミュニケーションの、間人間的相互性・共同性、情報・知識・価値・情緒の共同性は失われる。このことは、コミュニケーションの語源的意味、そして現にある語感と抵触する。ぼくらの「話し聞く習慣」は、コミュニケーションとはいえないのではなかろうか。

伝統的なコミュニケーション・モデル

伝統的・古典的なコミュニケーション論は、通常、図1のようなモデルを使って、コミュニケーションの過程、もしくは構造を説明する。そして、次のように明確に断定する。メディアを通じて伝達されるメッセージによって、送り手の意図が、受け手において正確に再現される。それが、理想的なコミュニケーションの形態なのだと。

伝達、あるいはコミュニケーションを記号の第一義的な機能とみる記号論のある立場も、このモデルを踏襲して図2のようなモデルを考えている。コードと照合対象の一義性・客観性、したがって超

図 1

送り手 → メッセージ(メディア) → 受け手

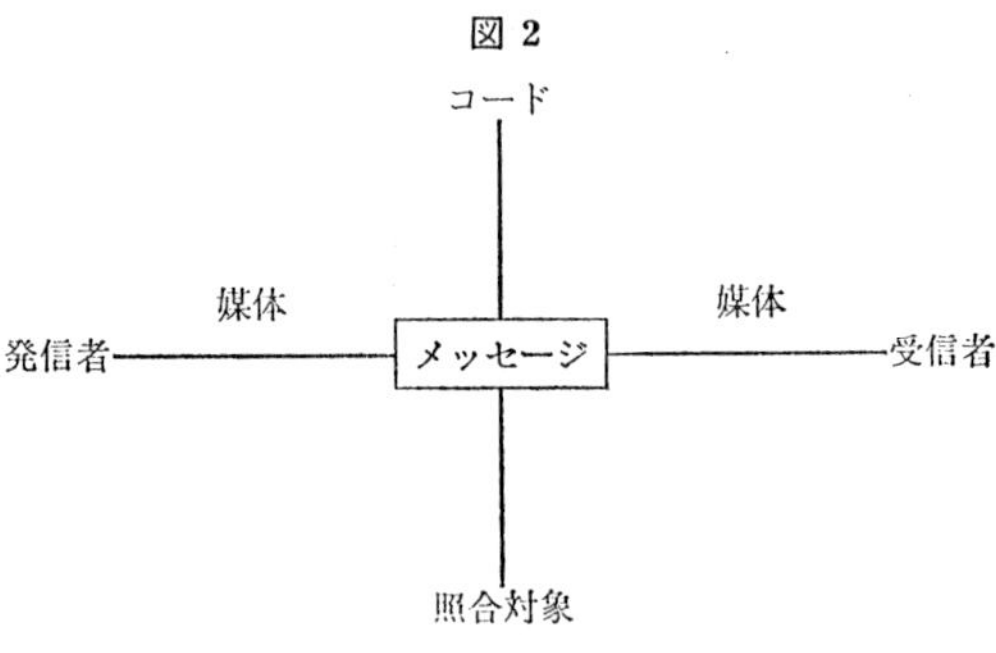

(注) P. ギロー『記号学』より。

越性が前提になっているから、発信者の意図と受信者の解読内容の同一性は保証される。

シャノンの通信(情報)理論にあったコミュニケーション・モデルを範としたこれらのモデルは、伝達=コミュニケーションによる共同性の実現、価値の共有、受け手の説得と操作を目的とする欧米的コミュニケーション観の必然の産物である。しかし、このモデルは、ぼくらの文化と日常の中に、現にあるコミュニケーション習慣のほんの一部分しか説明してくれない——そうではないだろうか。のみならず、欧米人のそれをどこまで説明しきれるのだろうか——という疑問も、当然のことながらあった。では、ぼくらの国の伝統的・日常的コミュニケーションのさまざまな形態を説明しうるモデルとして、どのようなものが考えられるか。モデル図・概念の相関図を好まず、つくるのも不得手なぼくの頭にあった相当に漠然としたイメージを、あえてここで図示すると、図3のようになる。

記号論的モデルの提唱

コミュニケーション行動に参与している当事者が二人とした場合

図 3

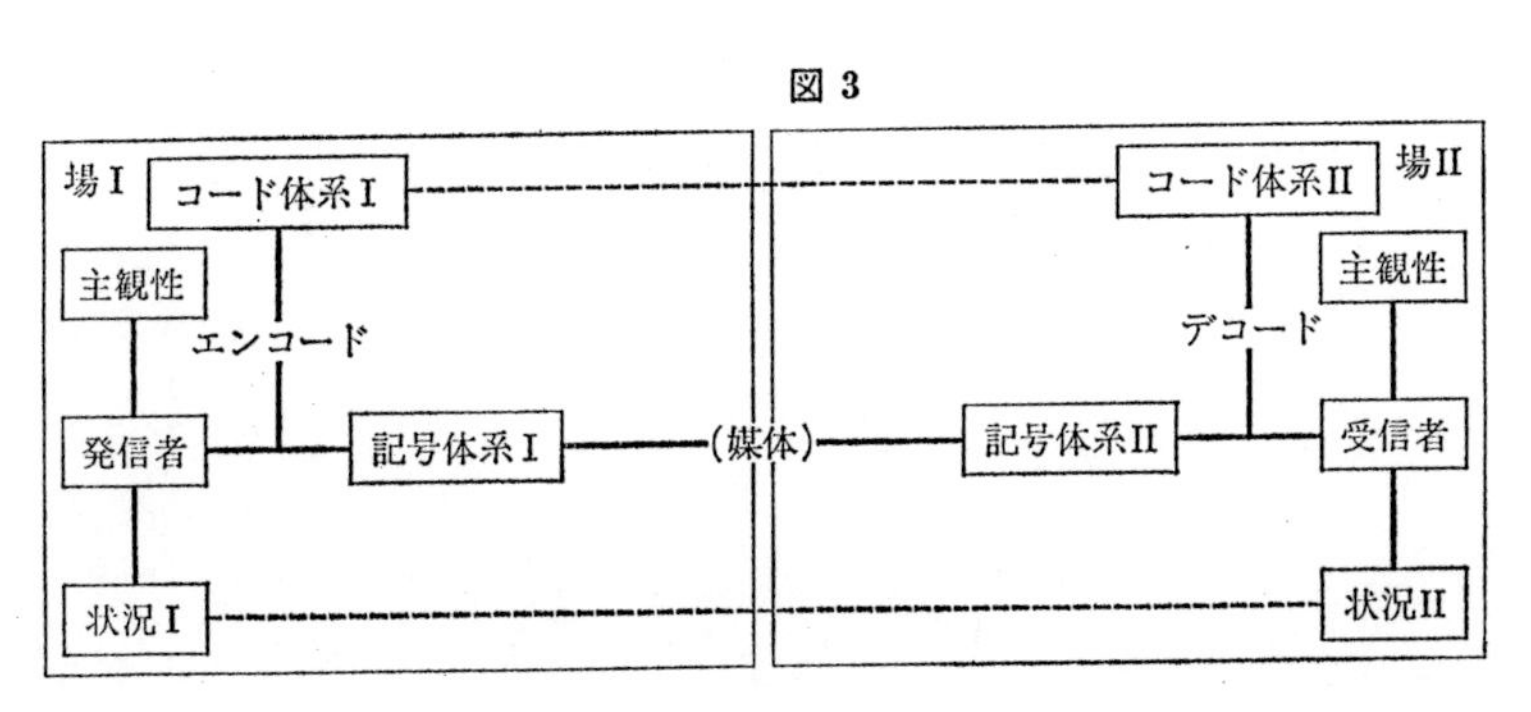

でも、両者が置かれている場（面）は、決して等しくない。発信者が伝えたい内容を記号化する時、当然、規範的で共同性の強いコードに依らざるをえないのだが、まったく同一の意味内容でもさまざまな記号化の形があることは、個々人が所有するコード体系が等しくないことを示している。したがって、発信者と受信者のコードは、決して同一ではない。記号化の結果である記号の体系的集まり＝記号体系IとIIも、伝達の過程で生ずるノイズその他によって、厳密にいうと同じものではない。そして、当然のことながら、両者が社会的・文化的・人間的な意味で個性をもつとすれば、その主観性＝主観の世界も、たとえば、両者の社会関係がもたらすであろう状況も異なる。

汎記号論、汎メディア論の立場からすれば、場IとIIは、個的な記号空間、あるいはメディア空間である。このふたつの空間が、媒体を接点にしてかかわる。以上が、このモデルの意味するところである。このモデルによれば、さまざまな形をとるコミュニケーションをまとめて説明することが可能になる。少なくとも、ぼくらの国のコミュニケーション習慣は、いくつかある変形（バリエーション）のひとつとして位置づけられるであろう。

コミュニケーションの三形態

伝達のコミュニケーション

伝統的なコミュニケーション論が、理想的な伝達とみなすコミュニケーションの形態は、図1・図2のモデルで容易に説明できる。場と状況は、アプリオリに共有されており、コードはひとつしかない。したがって、発信者の意図は、正確に受信者において再現される。発信者の伝達内容と受信者の解読内容とは、完全に一致する。一致するはずである。一致した時、コミュニケーションが理想的な形で実現したとされる。ゲゼルシャフト的な社会関係におけるフォーマルなコミュニケーションは、こういうものでなければならない。交通標識によるコミュニケーションもそうだろう。親が子に対してする命令・指示、自然科学における教科書を媒体とする知識と思考のやりとり、危機的な状況における情報の伝達等々の場合には、この形態が維持され、機能が遂行されていなければならない。

いくつかあげた実例からも明らかなように、伝達内容の正確な再現に関しては、権威・規範・効率・危機の回避等々の外的な強制力が働いて、適用コードが指定され、両者の一致が実現する。いかに相互的な関係の場合でも、厳密にいうと、支配－被支配の力が働いている。一般に、ある言語表現(エクリチュール)から、一定の内容を読みとらねばならないのは、規範の作用による。特定の小説を特定の読みかたで読まねばならないのは、何らかの権威が存在するからだ。上司の命令に従うのは、組織目標にとって合目的的・合理的であるからだろう。とにかく伝達という過程には、多かれ少なかれ、権威・規範・支配・強制といった力が作用している。もちろん、時には自由で自発的な同調という力が働くこともあるだろうが。

ふたつの独立した記号空間

この形態を図3では、次のように説明する。伝達内容を表示した記号体系Iと、メディアを通じて伝送された記号体系IIが、一致しているか、その差はごく少ないとする。そして、外的強制力によって、コード体系IIを、Iと限りなく一致させてしまう。こうして状況や主観性の差があろうがなかろうが、伝達内容と解読内容が一致するか、限りなく一致に近づく。したがって、図3のモデルからすると、伝達の実現は、極めて特異な状態ということになる。このモデルでは、コード体系・主観性・状況といった因子が、個に属すると規定し、したがって、コミュニケーション行動とは、コミュニケーションが成立している状況の従属変数ではなく、個に所属する独立変数とみなしているからである。このみなし、仮定が偽であるとすれば、伝達の特異性は消えるが、仮定にいくらかでも真なるものがあるとすれば、伝達実現の偶有性・特異性を否定できない。伝達の成立は、確率的現象となる。

場IとIIは、自律性をもった記号空間であることは、すでに指摘した。媒体の取入れ、挿入装置をもつこの空間が、コミュニケーション過程における最も基本的な構成因子であるというのが、このモデルの積極的な主張のひとつである。実際、この記号空間モデルに適合する現実の状態は、無数にある。たとえば、茶の間でテレビをみる行為がそれである。場IIの住人——ほとんどの視聴者がそうだ——にとって、場Iに含まれる要素・要因・因子のすべてが、たしかめようのないものである。関心をもとうとしても、もちようがないものなのだ。したがって、空間に挿入され、そこに提示されている媒体と、媒体と一体になった記号体系IIが、すべてである。したがって、コミュニケーションは、厳密にいうと、場IIの内部で受信者と媒体（もしくは記号体系II）との間に成立している。新聞・雑誌を読む、書籍を読む、映画をみる、芝居をみる、音楽をきく、ラジオをきく、マンガを読む、電話で話す等々は、正確にこの形態のコミュニケーションである。こうした行動に費やされる一日の時間量から明らかなように、日常生活の中で、最も支配的なコミュニケーション行動である。

こうしたコミュニケーションも図1・図2のモデルで、あえて説明できないものでもない。しかし、媒体を境にして、ふたつの場＝記号空間が、独立しているという状態を、あれらのモデルはまったく表示してくれない。完全に連続した過程とみなしてしまう。テレビ視聴ひとつをとってみても、不連続は、明白な事実なのに。

意味作用のコミュニケーション

図3のモデルも、場Iという記号空間を、一応は、前提としている。情報を蒐集し加工し創造する記号空間である。そこでつくられた情報が記号化され、媒体を通じて、場IIにインプットされる、あ

るいは場IIが情報を取得する。場IとIIが密着し連続的である伝達の場合には、伝達内容の正確な再現が、コミュニケーション行動の目的であった。ところが、独立した場IIにいる受信者にとって、場Iは、いわば未知の領域であるから、再現ということは、原理的にありえない。場Iのことは未知なのだから、そもそも再現ということ自体、不条理なのだ。受信者は、主観性II・状況IIに影響されながら、コード体系IIによる解読、ないしは解釈をするだけである。こうした解読・解釈は、記号論の用語を借りていえば「意味作用」である。場IIという記号空間では、実は、意味作用が行なわれているのである。この形態のコミュニケーションは、再現を目的とする「伝達のコミュニケーション」に対して、「意味作用のコミュニケーション」である。このふたつのコミュニケーション観に対応して、「伝達の記号論」と「意味作用の記号論」が存在する。記号にかかわる人間行動をどうみるか、この両者の間には決定的な対立があるといっていい。

日本人の「話し聞く習慣」、伝統的なコミュニケーション文化には、「意味作用のコミュニケーション」「意味作用の記号論」というイメージ・モデル・方法が、より適合的だ——というのがぼくの判断である。もちろん、この判断は、日本人のコミュニケーション行動の中に、伝達的コミュニケーションが含まれており、ある役割を演じている事実を否定するものではない。

I章でふれた日本型コミュニケーションの特質は、日常的な会話・対話においても、フォーマルな議論の場でも、ひととひととの間に直接的対話(ダイアローグ)が成立せず、ただモノローグが連鎖されているだけであり、ダイアローグは個の内部でのみ行なわれるという点にあった。この特質を、図3のモデルを使って、一言で説明すれば、個のもつ記号空間が完全に孤立していて、この記号空間は、唯一、媒体のやりとりのところで接点をもっている。ことばや台詞は、発信者を離れ、個の空間の内部にとり込まれ、そこで自由に、そして独立に解読され解釈される。他方、発信者のほうも、受信者の解釈・解読に期待もしないし、干渉もしない。主観的に記号体系をつくり、発信するだけである――ということになろうか。もちろん、会話であるから、発信・受信は、たえず交替する。場IとIIが入れ換わる、ということである。とにかく、伝達・再現について、両者とも関心が稀薄である。

ぼくらの精神的・思想的風土の中では、終に、個が育たなかったという有力な見解がある。たしかに、いわゆる「近代的自我」なるものはなかったかもしれない。育たなかったかもしれない。しかし、個の記号空間の孤立度・密室度は、かなり高いと思われる。外見上、各記号空間が酷似しているということはあるかもしれないが、接触した情報、とり入れた記号体系、挿入された媒体に対しての選択と解読・解釈、つまりは意味作用の自律性、これは相当に高かった。会話の場におけるモノローグと、個の内部でのダイアローグという逆説的な構図は、その高さを物語っている。

表出のコミュニケーション

ウィークデイの午後、渋谷あたりの喫茶店にラケットをもって集まり、おしゃべりに夢中の中年女性たち、そのひとりひとりのしゃべりかた、話の内容、ききかたを観察してみるといい。発話は、饒舌で密度が高くテンポも早く激しいが、所詮はモノローグで、ひたすら自分を語っているにすぎない。

ことばや話によって、相手と心理的・精神的にかかわりつながろうという意思など、ほとんど感じとれない。他方、きき手のほうも、相手の話をとり入れ解釈し、正面から応えようという意思が、大変に稀薄である。相手の話とは、まずほとんど関係のない話が、とめどもなく噴出してくるだけである。したがって、おしゃべりに文脈などできるわけがない。おしゃべりの総和は、モザイク状に、コラージュ状に、断片を点綴させているだけである。ここには、ことばの正しい意味での対話は、成立していない。確実に存在するのは、話が投入される場だけである。個々の記号空間は、ほんの時たま接触することはあるにしても、だいたいはその場の中を話を発射しながら、勝手に漂っているだけだ。

井戸端会議も、家族団欒も、酒場での男の話も、基本的な構造は、これと変わらない。このコミュニケーションは、前二者（伝達のそれと意味作用のそれ）と対比していえば、「表現」、あるいは「表出のコミュニケーション」とでもいえようか。「意味作用のコミュニケーション」が自立すれば、論理必然的に自立せざるをえない、もうひとつのコミュニケーションの形態である。いや、コミュニケーションに断絶が発生した時に、「意味作用」と「表出」のコミュニケーションとは、いずれも必然だったのだ。

「表出のコミュニケーション」を、たとえば、中年女性の悪癖として片付けることはできない。けだし、記号による創造——といえばすべての知的生産が含まれるのだが——は、この「表出のコミュニケーション」と、まったく相同の構造をもっているからである。

記号とのかかわりかたに着目し、図3のモデルをてがかりにすると、以上、三つのタイプのコミュニケーションの形態分類ができる。いわゆる伝統的な意味でのコミュニケーションは、そのひとつのタイプということになる。コミュニケーションの定義をこのタイプに限定すれば、後の二者は定義からはみ出してしまう。ぼくは、定義を拡張し、二者を含めるべきだ、という立場をとる。なぜならば、ぼくらがテレビをみ、新聞を読み、音楽をきく行為は、明らかにコミュニケーション行動であり、その最もドミナントな特徴が「意味作用のコミュニケーション」だからである。たとえば、社会的・文化的な意味のテレビ現象とは、ひとびとがテレビをみながら意味作用することにほかならないのだ。

コード体系と記号化

記号と人間とのすべての関係

記号とひととのかかわりのすべてを、コミュニケーションと定義する。これは、すでに指摘したように、従来の概念・定義の拡張であった。この拡張は、すでにのべた仮定からの必然的な帰結であって、いささかの恣意も飛躍もない。ところでこの新しい定義に従うと、たとえば、イェルムスレウなどのいう「原存在」(人間の意思と無関係に存在する「こと」「もの」、認識され記号化される前の混沌)とひととのかかわり、一般に非記号的な「もの」「こと」、客観的な実在、客観的な事態とひととのかかわりの問題が生じる。というのは、原存在とひととの間には、実は、常に記号が介在しているからである。

原存在に対する、記号を介在させない認識という働きがあるかもしれない。しかし、文化と社会の存在という先験的な条件の下で、成長の初期に言語能力を習得してしまった人間にとって、原存在との間に記号が介在するのは、常態である。早い話、ぼくらが環境世界を構造として、秩序として、異質なものの結合した体系として認識しうるのは、すべて、記号体系のおかげである。したがって、原存在＝客観的世界＝実在と事態の世界＝環境世界と、人間との関係は、いうならば記号による関係、記号関係といって差し支えない。つまり、コミュニケーション的関係であるわけだ。人間は記号によって原存在を認識するわけだから、原存在―記号―人間の関係を、記号の機能論から排除することは不可能である。したがって、記号を介在させている以上、原存在と人間とのかかわりもコミュニケーション行動のひとつの形としなければならない。この点については、後にふれる予定である（「もの」「こと」との「対話」）。

記号による環境の分節化

場Ⅰの中に、この問題をすえてみよう（場Ⅱでもいいのだが）。場を構成する諸因子の関係を図4のように、多少、書き換える。まず、発信者を「主体」と書き換え、コード体系の作用が、先述の論旨にしたがって、主体と世界のかかわりに及んでいるものとする。状況とは、実際は、場の外側に拡散しているが、主体にとっての客観世界＝環境世界＝原存在のことである。発信者の伝達内容は、原存在についてのイメージである場合が多い。そして、後にのべるように、人間はコードと記号によって原存在とかかわってゆく。主観性は、環境世界とのかかわりのあらゆる局面に作用していると思われるが、たとえば、ひとが、多面的で錯綜した環境世界のどの面に、どの位相に、どの階層に主として注意を向けるか、といった行動に影響力をもっている。ひとの注意を、環境世界の全局面、全階層、全位相に同時に向けることなどドダイ不可能だから、注意・視線は限定せざるをえない。そこで影響力をもち作用している要因の主たるものが、主観だろうということだ。

図4

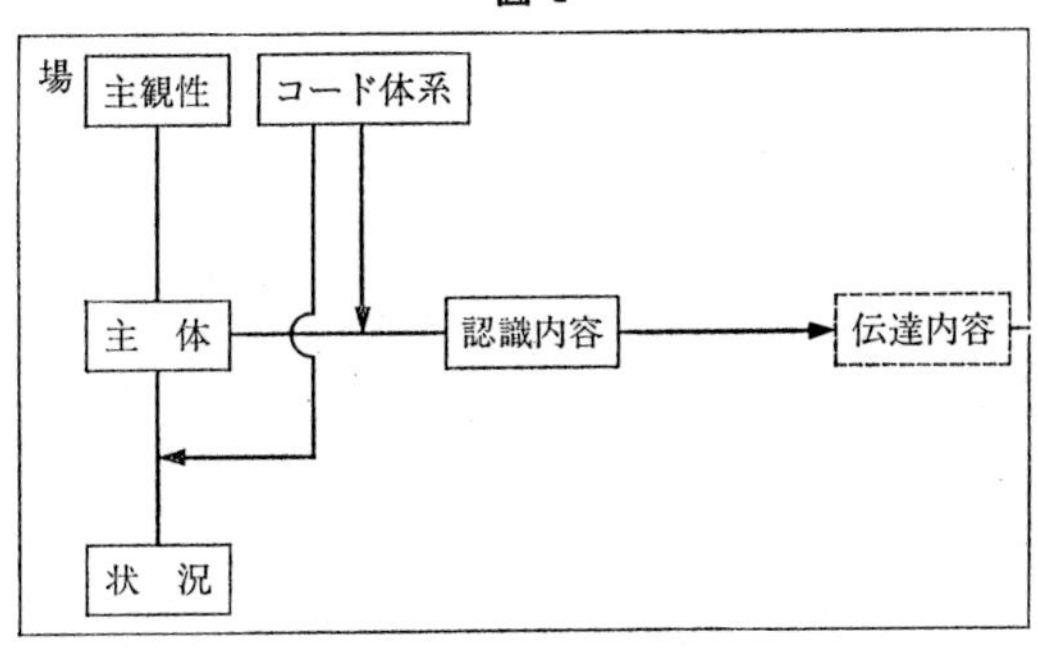

図4に従いながら、記号の作用を簡単に説明してみよう。原存在は、アプリオリには混沌であり無秩序であり、したがって構造をもたない。ひとの原存在＝環境世界認識は、まず、環境の差異化からはじまる。記号論でいう分節化である。環境を部分に分けて、構成要素を確定し、各要素に名称を与えることである。ところで、ひとがすでに記号とコード体系をもっていること、これが前提であるから、分節化は、語彙とコードによって行なわれる。いいい実際、ぼくらにとって、記号とコードなしの差異化・分節化は不可能なのだ。認識（直観を含めて）の結果が、分節化・差異化であるのではない。認識と分節化は、同一の記号操作に与えられた、

別の名称にすぎない。

認識の次の段階では、分節化された断片を相互に関連させ、結びつけ、構造を与え、文脈をつくる。繋辞（コプラ）・論理語は、環境世界に、その照合対象をもたないから、人間の思考の産物である。繋辞・論理語という記号＝コードの操作によってはじめて、分節化された断片が結合され、環境世界の構造化が実現する。このように、環境の分節化と構造化は、記号（機能）に依存している。人間は、こうした記号操作能力をもつからこそ、環境世界の認識が可能なのである。

記号・コード体系・イメージ

呪術的・神秘的であると同時に、道具的で実用的で、ある意味では合理的ですらある未開人の自然認識、名称のイメージとコノテーションを巧みに重層させ擬人化を極度に洗練させた精緻きわまりない王朝歌人の自然イメージ、征服と利用と破壊を正当とし、無定義の公理を前提にしながら経験科学を自称してきた近代科学の自然観、文明と自然との共存に宗教的な意味を与えようとしているエコロジストの自然についての思想、これらの間の差異は、適用された記号とコードの体系のちがいによっている。語彙とコードがちがえば、同じ自然に対して、さまざまなイメージが形成されて当然である。今、ここにあげた四つの相対立するイメージに対して、その真偽、善悪、正邪、是非、美醜を比較することは、ほとんど無意味である。自然イメージの多元性と、多様なイメージ間に価値的ヒエラルヒーがないこととは、イメージが客体である自然の「自然性」とでもいうべきものに依存していないこと、そして、イメージは異なった記号とコード体系を媒介にした、人間と自然との「対話」からつくられることを物語っている。ここにあげた四つの自然観は、ほとんど記号化された自然に等しい。人間にとって自然とは、古来、そういうものであったようだ。認識と認識内容(イメージ)には、このように深く記号とコードが介在している。

一般に、「自然との対話」という命題は、自然をより包括的に、より深く認識することを規範的に命令している。しかし、この命題には、もうひとつの相がある。人間は、記号を介して、自然とむかいあい、ひとと話すように「対話」している——という意味である。まさに、人間と自然とのコミュニケーションである。間に記号が介在するというだけではなく、先述したように、ぼくらにとっての自然は記号なのである。ぼくらはその自然と対話する、コミュニケートする。そこに意味が発生する。

多元的な事実

イメージの多元性・多様性から、次のような問題が派生する。認識されない原存在=環境世界は、ひとにとって、「事実」ではない。そもそも存在しない。認識があってはじめて、原存在は事実となって立ち現われる。立ち現われた時すでに、事実は記号によって構成されている。したがって、ぼくらが「これが事実だ」という時の事実は、分節化・構造化=記号化、イェルムスレウの用語でいえば「記号機能」の結果にほかならない。認識内容が記号化によって外在化し、記号体系をなして現われたものなのだ。したがって、「事実」もまた、多元的にならざるをえない。さまざまな記号とコード体系によって事実が構成されるというのが、多元性の第一の根拠であり、もうひとつの根拠は、媒体の問題にかかわっている。

テレビというメディアにおいて、カメラからブラウン管にいたる過程、茶の間・リビング等での視聴形態、番組のスタイルと編成のパターン等を媒体の構成要因とし、映像と音声を記号とすると、媒体性と記号性とが、密接に結びついていることがわかる。典型的なテレビ映像と、典型的な映画のそれは、明らかに異質である――ということは、映像化にいたる記号とコード体系の作用がちがうということだろう。つまり、媒体と記号とコード体系は一体になっているということだ。こうして、人間が独特のコードをもった眼でみた結果である原存在の記号化からはじまって、これまた特有のコードをもつテレビがブラウン管上に提示した記号体系にいたるまで、同一の原存在から多元的な「事実」が、つくられる。マス・コミュニケーションの場合、この多元的事実が、そのネットワークにインプットされる。ひとつの原存在について、複数の「事実」が存在する。存在するのは、本当は「事実」だけである。記号とコードをもった人間は、原存在そのものを確認する手段をもっていない。現代は、間接性が支配する文明と文化の時代である。ぼくらにとっての社会認識の素材は、この「事実」によってのみ提供される（事実の多元性については、くわしくは拙著『現代人の情報行動』を参照されたい）。

こうした個の記号空間における非記号的なるものを対象にした記号行動――記号機能といってもいい――の結果は、記号体系として外化し、媒体と結びつくことによって他の記号空間から可視的になる。こうして、他者とのコミュニケーションが可能になるのだが、ここで問題にしたのは、個の記号空間内のコミュニケーションであった。個体内コミュニケーションとかイントラパースナル・コミュニケーションといわれてきたものである。それを記号論によって記述すること、それがここでの課題であった。個体内コミュニケーションの仕組の一端を明らかにするために、非記号的なるものと人間主体とのかかわりを、つまりは原存在の認識過程を、記号とコード体系の作用として説明してみた。

人間は、宿命的に、「もの」や「こと」と、記号とコード体系を介在させてかかわるしかない、人間は「もの」や「こと」と、コミュニケートしている。両者の関係は、基本的にコミュニケーションの過程であり、コミュニケーションという、常に意味を含む関係なのである。

媒体・記号・意味

記号体系の享受

人間は、それぞれ普遍性と特殊性を同時に含む記号空間をもっている。言語と文化と社会を、絶対の所与として生を営むしかない、ということとほとんど同義である。言語・文化・社会の構造の基底にあるのは広義の規範であり、換言すれば、コード、ないしはコードの体系である。人間はたしかに、コード以前的な、コードに拘束されない衝動、欲望（欲求）、情緒、感性、直観をもっている。これらは、時として、コードに対して叛逆を試みることがある。多くの場合、最終的には、コードによってそのエネルギーをキャナライズされてしまう。例外的にコードを破ることがあるが、その瞬間、新しいエネルギー表出のスタイルは、新たな規範となり、新しいコードをつくる。というようなわけで、記号空間の内部のさまざまな作用においては、コード体系が、最もドミナントな規定力をもっている。

前節で説明したような、ひとが原存在と主体的にかかわり、記号によって認識し、記号化を試みる一連の過程は、あくまでも例外的であって、すぐれた知的創造にのみ許された特権に属する。通常は、場IIにおけるように、受信者としての記号空間の中に、媒体によって記号体系がインプットされるだけである。非記号的なものも、前述のように記号によって分節化・構造化され、記号化され、記号の外被におおわれてインプットされる。ひとは、多く、この点に関して受動的である。しかし、受動的であることは、決して非難さるべき状態ではない。インプットされるのは、いうまでもなく「事実」であるから、ひとは、非記号的なるものの本質・原存在性と、記号の外被とを区別できない。したがって、記号空間にインプットされるのは、すべて記号、もしくは記号体系であると断定して、いっこうに不都合ではない。この状態が、社会的・文化的にみて普遍かつ一般的であること、これが「意味作用のコミュニケーション」「意味作用の記号論」の存在理由である。

一般に、文化現象という時、ぼくらは、文学、演劇、テレビ・ラジオ、雑誌、音楽、絵画、そして大衆娯楽、ファッション、マンガ、レジャー、スポーツ、旅行等を連想する。これらから派生し産出される個々のイッシュー――たとえばビデオ、アングラ劇、ミニコミ誌、ライブスポット等々――を含めて、文化現象とは、基本的には、不特定多数のひとびとに享受されることによって成立する。芸術的な作品がどう作られ、作品がどう構成され、どういう背景をもっているかといったことがら——いずれも場Ⅰに含まれるべきもの——は、現象構成の条件ではあるが、それだけでは文化ではない。文化現象は、享受によって、はじめて完結し成立するのである。

意味作用のずれ

享受とは、つまるところ、記号体系を受容し、解釈・解読することであり、意味作用を行なうことにほかならない。記号空間内部では、提示された記号体系を直接的な記号表現(シニフィアン)として、記号内容(シニフィエ)を解読・解釈——明示的意味作用(デノテーション)——し、次には、独自の記号表現を創造して、その記号内容を読む——伴示的意味作用(コノテーション)——という、多元的・階層的意味作用が行なわれる。この意味作用の社会的集積こそ、文化現象であり、文化的・社会的大量現象なのである。場Ⅱは、すでに指摘したように、今日において、すぐれて密室的で孤立している。伝統的な共同性の崩壊の結果であり、人工化・都市化・情報化の結果でもある。この孤立した記号空間の中で、お互いに酷似した意味作用が行なわれる。これが現代という時代の特徴のひとつである。

酷似していると書いたが、まったく同一の意味作用が行なわれているわけではない。ある文化圏の住人のもつコード体系には、共通部分がかなりある。逆にいえば、社会と文化の実在は、コードの共有によって保証されている。他方、同一の記号内容(シニフィエ)に対して異なるいくつかの記号表現(シニフィアン)がありうる——いや実際にあるのだが——ように、コード体系の個人差が、確実に存在する。どこまでが共有で、どこまでが個人に属するかは、必ずしも明確ではないし、その差は微妙なのだが、しかし、差異は歴然としている。したがって、同一記号表現に対して意味作用のずれが発生する。ひとつの小説を、少しずつちがった読みかたをする、一枚のレコードに微妙にちがう感慨をもつ、同じテレビドラマをちがったコードでみている、同じ野球ゲームをみてちがった印象をもつ、波の音をきいてなつかしくなるのと不安になるのがいる——というようなことである。この微妙なずれこそ、文化現象を成立させ、時には大量化させる動因なのかもしれない。たとえば、マス・メディアが提供する情報は、末端の個別記号空間のところで、さまざまな享受のされかたをする。その享受のずれ、意味作用の差が、話題化を促し、大量文化現象を形成する——こうした現象形成の証拠は、六〇年代以降、増加しはじめる。つまり、意味作用の多様化、離散的状況は、六〇年代以降、顕在化しはじめる。

コードの多様化と拡散

価値の多様化であり、換言すれば、コードの多様化である。その多様化は、明らかに顕在化した。しかし、多様化を認めたがらないムキには、ある種の現象の潜在化とうつるようだ。爆発的ブームを生じさせない音楽作品については、作品のパワーが低下したといい、大量現象の量・規模の減少を大衆の顔がかくれてしまったといい、ファッションの多様化を「多様性の画一化」(?)などという。現実に起こっていることは、多様性の顕在化と拡散である。あるいは、コード体系の差異の拡大であり、共有部分の縮小である。現象の潜在化などではなく、顕在化である。

六〇年代に成立するテレビとマンガと音楽のメディア・ヘゲモニーは、脱コード化現象を促し、新たなコードを付加した。数は多くないが、ある種のテレビドラマ、マンガ作品、音楽パフォーマンスは、固有の新しいコードによる解読を要求したほどである。その結果、特定のジャンルに属する記号体系では、コードの創造・付加・転換が普通になった。のみならず、権威や規範の強制力の低下も手伝って、コード一般も弛緩しはじめている。日本語のみだれとか、礼儀作法の崩れとか、表情・しぐさの無表情化とか、若者たちの奇怪な言語習慣とかは、コードの弛緩の結果にほかならない。

日常会話はともかく、フォーマルな場の発信者とか、特にマス・メディアの送り手は、「意味作用のコミュニケーション」が、ある一点に収斂することを期待し、時には使用コードを強制したがる。誤解を認めたがらず、意味作用の多元化＝発散を嫌う。しかし、実際には、意味作用は収斂しなくなり、発散するようになった。固定的・安定的・共同的コードが崩れ、不安定に、動的に、そして多元的になり、個々の記号空間のコードの自律性が強くなったからである。

「意味作用のコミュニケーション」は、多元化し、発散し、拡散しながら、全社会的コミュニケーションの中で、ウェイトを高めている。「伝達のコミュニケーション」は、相対的に縮少し、不連続と断絶を露呈し、「意味作用のコミュニケーション」へと転化しつつある。この傾向にひきずられながら、「表出のコミュニケーション」も、頻度を増しつつある。文明に対して文化の比重が増し、文化が成熟し洗練され頽廃しつつあることと関連しているのだろう。ぼくらの国の「語り聞く文化」も、洗練され成熟し、そして頽廃しつつある。コミュニケーション－メディア文化は、他の社会的過程から自立し、諸過程をおおい、オーバーハングのようにのしかかっている。相対的に膨張し、肥大したのである。しかし、この状態を異常と規定する客観的な基準は存在しない。

メディア人間論の構想

浮遊する情報空間

情報量の増大、多種・多量の情報の錯綜、情報接触端末の装置化と多様化によって、現代の情報空間は、ますます無重力空間化している。孤立した個的な記号空間は、その無重力空間内を浮遊し、時たま情報端末にみずからを繋留し——定位させる——というイメージが、ぼくの中にある。あえていえば、浮遊中に生起するコミュニケーションが意味作用で、繋留時のそれが伝達ということになろうか。場Ⅰ・Ⅱで「媒体」としてある部分が、カプセルの情報発信・受信の装置になっている。この装置に情報をインプットするものをすべて、媒体(メディア)として規定する。マス・メディアは、いうまでもなくインプットの媒体である。喫茶店の中年の女性たちにとっては、話されることばだけでなく、喫茶店という空間・状況が媒体となって、何らかの情報の出入作用に介在していた。自然のイメージ、イメージ化された自然、記号の外被を着た自然も、媒体として情報をインプットする。という点で、マス・メディアもおしゃべりも空間も自然も、同等である。いずれもが、記号空間で、ひとを活性化させる意味作用という点で、ちがいがないからである。

浮遊する記号空間は、移動に伴って、常時、そして時々刻々、意味作用を転轍させている。情報環境内部での記号空間の位置と姿勢、記号空間をつつむ状況が、必ずなんらかの情報をインプットするからである。とすれば、記号空間の周辺にあるものすべてが、媒体であるか、媒体性をもつことになる。都市と田園といった空間からはじまって、狭義の諸メディア、「もの」や「こと」や「ひと」とそれに付属するもの、街路に建造物等々の環境構成要因のすべてと、そしてみずからの心理的・物理的移動に伴って生起する状況の変移が、媒体として、情報あるいは記号（体系）を運び、意味作用を促すからである。あるいはまた、人間とは、あらゆるものを媒体化して記号性を与え、意味を見出し、あるいは意味を付加し、そういう性格をもつものとして、環境構成要素・要因とかかわり、戯れ、楽しむ存在であるからなのだ。換言すれば、人間とは、記号人間であり、意味人間であり、媒体人間であり、したがって、あらゆるものを媒体化してしまうということだ。

メディア人間論へ

たちいっていえば、人間にとってあらゆるものが、媒体性と記号性と意味の三層構造をもっている――ということである。「もの」には「もの性」があるかもしれない。しかし、現代の文明・文化の条件の中で、「もの性」は、三層構造に完全におおわれて不可視になっている。いや、人間は、終に「もの性」などみたことがなかった。三層構造を一言でいえば、しるしとその意味であり、形と内容である。ぼくらは、今や、「もの」をしるしと形において分析し考察するしかなくなった。メディア論あるいはメディア文化論は、この三層構造の仕組、形態とその分類、人間とのかかわり（機能）を分析し理論化する。したがって、コミュニケーション論と記号論はすべて、メディア論に包摂される。「伝達の記号論」は、自然の中にある徴候や、「もの」の記号性を、記号というカテゴリーから排除する。記号発信の主体が明確でなく、主体が仮にあっても意思を特定できないからである。しかし、「意味作用の記号論」あるいは「意味作用のコミュニケーション」の立場からすると、これらの徴候や記号性を、記号として認めざるをえない。果たしてこれが記号だろうか、コミュニケーション論の範囲に含まれるのだろうか、という辺境が存在することは事実だ。しかし、記号から非記号的なものへの推移は、完全にリニアであって間断するところがない。伝達のコミュニケーションから意味作用・表出のコミュニケーションへの展開も、記号とのかかわり、意味の産出という点で、連続的である。こうして、コミュニケーション論は拡張されて、メディア論、メディア行動論に近接し、結局は、完全に相互浸透してしまう。

記号論もコミュニケーション論も、メディア論にたどりつく。その結果、認識と意味と行動にかかわる人間のすべてを対象として、分析し理論化し説明し記述することになるだろう。それは、もうメディア人間論にほかならない。汎メディア論、汎記号論、汎コミュニケーション論は、人間ー文化論とほとんど内容を等しくするものだろう。メディア論への飛躍と、その後の展開が、これからのぼくの課題である。

補論　コミュニケーションの構造

東京・銀座の歩行者天国（1970年頃）

1　コミュニケーション科学の課題

生活の中のコミュニケーション

一人の、人間の、個人としての、あるいは集団組織の一員としての、さらには社会の成員としての、活動をみると、実に厖大な量に上る情報を自ら送り出し、また他の人々からの、ないしは一定の機構からの情報を受容していることがわかる。情報というコトバは大変あいまいであるが、ここでは、有意味の記号の集合としておこう。

都会の平均的なサラリーマンをとってみよう。彼は朝、家人の何回目かの起床の要請で目をさます。起床の合図は、毎日のことながら、彼が会社に定時に出勤出来るか否かということでは、そうとうに重要なものである。朝食の食卓では例によって新聞をひろげ、限られた時間の中で見出しぐらいをよみとばす。経済欄にはことによると、彼の会社での仕事に関係のあることが書いてあるかもしれない。スポーツ欄は同僚との雑談のためにも目を通す必要があるだろう。テレビからは刻々、彼の出勤の時間を報せる信号が出てくる。その間にも彼の妻は、彼女にしてみればどうしてもこの時間に話さねばならない相談とか報告をつづけ、彼はそれを聞いていなければならない。食事をとるという肉体的な動作とともに、ほぼ三つぐらいの異質の情報を、そのことが全く日常化されているとはいえ、彼は巧みに処理している。満員の電車の中ではわずかな空間をみつけて、今夜のテレビのスポーツ中継のためにも必要な知識を仕込んでおかねばならない。

会社での彼の仕事は、さまざまな形で形式化されている情報を処理し、一定の操作を加えた上でつぎの処理にまかせるという文字通りのコミュニケーション活動である。休憩時間の彼は同僚と雑談をかわし、退社の時間ともなれば、時には、つきあいと称して夜の酒場へくり出して行く。そこでは上役の悪口からはじまり、時には彼の今後の出世に影響があるかもしれない会社の中のほとんど表面化していない人事の動き、派閥の動きについての若干の情報を入手する。もちろんこの種の情報を入手したところで、無力な彼には、そのことを如何ともしがたいが、ある事実について（あるいは全く架空の事実について）、彼が何事かを知ったということは、今後の彼の行動、とくに会社の中での彼の行動に一定の影をおとすことになるだろう。退社後、すぐに帰宅となれば、晩酌の一杯を傾けながら、ナイターを見、夕刊をよみ、時間があればミステリーをよみ、週刊誌をよみ、時には総合雑誌をよむこともあるだろう。その間にも、妻の家庭内での出来事についての報告を聞いたり、ぐちにも適当につきあい、子供を相手にしばしの時をすごすこともあるだろう。こうして彼の一日は無事に終わる。

この一日の間、一人でいる時には、いや傍に何人か人がいる時でも、彼は、マス・コミュニケーションといわれる一つの厖大な機構から出ている情報の一端にふれている。そして他人とともにある時は、図形化された情報、音声化された情報、その他さまざまに記号化された情報を受容している。このような情報を操作し、授受する活動こそ、人間のコミュニケーション活動とよばれるものである。

さまざまな形態

しかし、われわれは、コミュニケーションと呼ばれる一つの社会的な機能を単に個人のレベルからだけ見るわけにはいかない。けだし、上にのべたような人間のコミュニケーション活動といわれるものも、複雑な構造を持った社会的なコミュニケーションの総過程の中に組みこまれたある個人のコミュニケーション活動にほかならないからである。

機械文明の異常な発達とともに、人間の形成する諸集団、諸組織自体が、発達した機械を範として機構化＝機械化され、そのことの結果として、諸個人は巨大な機構の中で原子化されるという主張が、二十数年前のわが国の論壇をにぎわした。それは大衆社会論という形で提出された一連の文明批評の一環となっていたのであるが、その一つの論点として、いわゆるマス・コミュニケーションは、かかる原子化された諸個人をつなぐものとして機能するという指摘があった。この見解の当否は問わないとしても、マス・コミュニケーションと呼ばれる一つの社会的コミュニケーションの過程の中に、単に個人とという視点からはとらえられない何物かが伏在していることは明らかである。大衆社会論は、原子化された諸個人を統合するものとしてマス・コミュニケーションを考えた。すなわち、マス・コミュニケーションは明白に社会的な統制の手段であった。大衆社会論の主張はともかくとして、例えば、世論という国家の一定の施策決定に重大な役割を果たす社会現象に対して、マス・コミュニケーションの具体的な形態として機能しているマス・メディアの果たしている役割、あるいはまた一定の社会が存立するために最少限必要とされるであろう情報の流通という機能が、現状では資本主義的に経営されている私企業の手にゆだねられているという事態、また、本来諸個人の全く私的な営みに属すべき表現活動（精神的労働の一部）がマス・メディアにあっては機構化されたものの運動の結果として現われるというパラドキシカルな事実、等々を考えるならば、われわれは、個人のレベルとは別に、いくつかのレベルを設定せずにはこの問題を解きえないのである。

コミュニケーション科学の停滞

　コミュニケーション科学は、アメリカ的な科学といわれている。そしてアメリカにおけるコミュニケーション科学の展開は、時代の社会的・経済的諸条件、あるいはそれを反映した時代の思潮と密接に結びつきながら、さまざまなレベルにおけるコミュニケーション過程の実態を理論化するという形をとってきている。このことは、われわれが社会におけるコミュニケーションの総体を考えていく場合にかなり示唆的である。とはいえ、文字通り、全過程の分析に有効であるかどうかの保証はない。というのは、現にアメリカにおけるコミュニケーション科学もここ数年、とくにいちじるしい発展は見られず一方で政策科学（例えばHRのテクニック）に矮小化され、他方では精神分析と結びつきながら哲学化する傾向をたどっている（J. Ruesch, “Values, Communication and Culture,” J. Rueseh & G. Bateson, ed., *Communication*, 1951.）。このようにして社会科学としてのコミュニケーション科学は、政策科学と哲学とに両極分解をしつつある。もとよりアメリカにおいてコミュニケーション科学がある種の壁にぶつかっていることについては種々の事情が考えられるのだが、その一つの主要な要因として、科学としての方法論があげられる。*

* この点に関しては、たとえば、E. Katz & P. E. Lazarsfeld, *Personal Influence*, The Free Press, 1955, などを参照。

すなわち、コミュニケーション活動の中にさまざまのレベルを設定し、それぞれのレベルにおいて考えて行くというある意味で形式的・便宜的な方法に依存したところにあったことは否定出来ない。してみれば、もしコミュニケーションの総過程を構造的にとらえるという社会科学の立場にたつかぎり、われわれは性急にこのような方法を採用するわけにはいかなくなる。

コミュニケーション科学の課題(1)

実は以上の事情は、われわれに次のようなことを教えているのではあるまいか。すなわち、この方法論で端的にいえば、マス・コミュニケーションという社会現象をそれ自体として分析していた結果、説明不能の部分が残った。したがって別のコミュニケーションのレベルを設定することによってその残余を補ったというものであるが、この方法の前提には、本来マス・コミュニケーションと、コミュニケーションは異なったダイメンジョンの問題であり、単一の科学の対象たりえないという見解があったと推定される。しかし結局のところ、それは方法論として破産してしまった。したがって、現在われわれに要請されていることは、マス・コミュニケーションを含めた全コミュニケーションを総体として理論化するための一つの論理の探求にほかならない。以上のような課題が、われわれの前に提出されているのではあるまいか。

したがってわれわれは、マス・コミュニケーションまでを展望しうるような基本的なコミュニケーション活動の原形を設定し、そこに潜む論理を理論化し、その上で、いわゆるコミュニケーションの総過程の持つ問題を解明するという方法をとらねばならないのである。

コミュニケーション科学の課題(2)

以上の点とともにあらためて確認しておかねばならないもう一つの重要な課題がある。それは二十世紀後半における人間存在に深くかかわっている問題でもあるのだ。この点について、簡単に問題の所在だけを明らかにしておく。

かつて人間は、対自然との関係、対社会あるいは対人間との関係において直接的であることが出来た。人間の手の先には直ぐに自然があり、人間と自然とは媒介物なしに直接にエネルギーの交換が可能であった。また特定の社会の一員であることの実感を持ち、肉体的にも社会の一成員であった。文明と文化の進歩は、広義の技術の発達に最も顕著に現われているように、人間と自然との間の媒介項を巨大化し、個人と社会の間の媒介項を複雑にした。かかる文明観、歴史観の正否はともかくとして、たとえばコミュニケーションの機構の複雑化・巨大化は、少なくとも個人と社会のかかわり方、あるいは諸個人相互の関係を大幅に変貌させた。それは単に関係を間接化したというだけではない。媒介項は人間自体の中に入って人間を変えた。このことは、機械的な技術の進歩が人間にとっての自然の意味を変えたことに対応している。しかし、人間の決定的な変貌はむしろ二十世紀の後半に予想される。すなわち、従来、技術の進歩はあくまでも人間の肉体的諸能力を延長させ、それを精密化し、正確化し、迅速化させるというものであった。そのことで、人間の精神的諸能力は開発された。しかし、二十世紀後半の技術の開発は人間の精神的諸能力自体に代替するものとして現われてきている。問題は、機械がどこまで人間の精神的諸能力を代行しうるか、逆にいえば、原理的に人間に残されるものは何か、ということになるだろう。いうまでもなく機械に置換される人間の精神的諸能力は、単純な思考過程＝個体内のコミュニケーション活動を含めた人間のコミュニケーションの能力、換言すれば、情報操作の能力である。コミュニケーション科学が、人間の情報操作の過程を主要に対象とし、技術論が今後、人間の精神的諸能力の技術化という切実な問題にとりくまざるをえないとすれば、コミュニケーション科学は、いわゆる技術論とデリケートな関係を持つ。性急な予測はつつしむべきであるが、二十世紀後半の諸科学は、おそらくこのようなコミュニケーション科学と技術論のオーバーラップする領域を無視して成立しえないだろう。[*]

＊ この種の問題に関しては、参考となるべき文献は非常に多いが、示唆的なものとしては、E・バークレイ、高橋秀俊訳『人工頭脳』みすず書房、一九五七年、N・ウィーナー、池原止戈夫他訳『サイバネティックス』（第二版）岩波書店、一九六二年、などがある。

従来、コミュニケーション科学の対象としていた諸領域については、既存の諸科学が十全にカバー出来るものだというかなり強力な見解があった。しかし、コミュニケーション科学の持つ二十世紀後半における役割を考えるとき、もはや既成の諸科学には包摂しえない固有の対象領域があるように思われる。先にのべたいわゆる媒介項の肥大化という現象があり、そのことによって技術論と密接な関係を持たざるをえないこと、さらに、二十世紀後半における社会科学などを基盤にした人間科学の成立に重大な影響を持つだろうという意味においてコミュニケーション科学の新しい領域が考えられねばならない。

そのためにもまず、われわれはコミュニケーション過程の基本的な原形を抽象しなければならない。

2 物質的生産と コミュニケーション過程

労働過程とコミュニケーション過程(1)

コミュニケーション活動の基本的な原形を求めることは、前節でふれたとおり、現在の社会における全コミュニケーション過程の論理をさぐるためにも、重要な緒口を与えてくれる。この問題は従来、しばしば〈言語〉がいかなる経緯をもって発生したかという設問によって追求されてきている。* 言語の発生に関しては、ほぼ二つの主要な立場が現在提出されている。その一は、人間が意識的に外界(自然的環境と社会的環境を含む)に働きかける過程で、すなわち労働の過程で生まれてきたという考え方で、人間の個体発生の過程の理論的究明と、論理的な理論構成の帰結とにその根拠を置いている。** 他方、未開社会などを対象とする観察から経験的に求められた各種データを基礎として言語の起源を呪術的ないしは祭祀的なところに求める見解である。*** ここでは基本的な立場として前者をとる。その理由は、呪術・祭祀などは特有の人間的な精神的諸能力を前提としない限り成立しえないこと、そしてかかる諸能力の前提には、一定の外界に対する働きかけの事実とそれに対応する能力が必要だからである。端的にいえば、呪術・祭祀という営みの中でたしかにある種の言語形態の成立は否定しえないにしても、この場合すでにそれ以前に極めてプリミティブな形式でのコトバの発生がない限り、呪術・祭祀は呪術・祭祀として成立しえないのである。このような発生論的な論議にも当然一定の意義はあると思われるが、より重要な問題は、いうまでもなく、最も素朴な形での言語の発生を見た労働過程における諸個人の情報交換という働きが、現在の時点ではいかなる形で成立し、そしてそれはどのような機能を果たしているかを解明するところにあると考えられる。そのためにもわれわれは、〈言語の労働過程起源説〉をとらねばならないだろう。

* すべてのコミュニケーション論がこの問題にふれている。言語がどのようにして成立するかという点についての論究の仕方で、コミュニケーション論の性格が決定されるといって過言でない。

** この立場の最も典型的なものはエンゲルス『自然弁証法』『マルクス・エンゲルス選集』(一五巻) 大月書店、一九五四年、である。

*** ことばの発生の契機を呪術・祭祀にもとめた最初の人は、J-J・ルソーであり、その影響は今日でも残っている。

人間の最も基本的な活動は、物質的・精神的富の生産と、その生産のためのエネルギーの再生産とに帰着する。ここでは労働過程をいちおう、かかる物質的・精神的富の生産にかかわる人間の活動の一形態と考える。もちろん高度に発達した人間の芸術的な創造活動や、高度の理論的活動は除外している。精神的富といった意味は、いかなる労働過程であれ、一定の情報解釈および情報発信に関する高度の神経的な活動が前提にあって、そこでは労働過程の結果が観念的に先取されている。つまり、すべての労働過程の成果は、単に人間の肉体的労働の結果ではないということである。かかる活動に対応する一定の肉体的・精神的能力は人間が動物の段階を超えた時に、つまり社会的な存在と自らを規定した時に成立していたと考えるのが妥当だからである。ここで考えられている労働過程とは、ある意味で極めて抽象的なものである。あくまでも理念的に考えられるものであって、過去においても現在においても、そのようなものは存在しなかったといえよう。

労働過程とコミュニケーション過程(2)

ではこのように抽象化された労働過程に付随するコミュニケーション過程とはいかなるものか。以下ではコミュニケーション過程を情報の交換・処理過程と規定する。

さて、かかる労働過程において、情報といわれるものはいかなる形態をとるか。まず第一に、分節化された言語的な情報が存在する。しかもこれが非常に重大な役割を演じている。次に、身振りなどの言語ほどに社会化されていない、極端な場合は固有の労働過程でのみ有意であるような一定の情報群が存在する。この種の情報は、社会化されていないという意味では言語以前的な性質を持つが、同時に一定の言語体系を前提としている場合もある。かかる単純な形態を持った情報が、交換されている。

以上は、一定の労働過程に参加している労働のための組織のレベルでのコミュニケーションの形態であるが、同時に諸個人は、既存の知識により認識可能となる、時時刻々変化する労働対象自体からの一定の情報を個体内で処理することを要請されている。この過程は心理学的に見れば刺激・反応の過程であるが、コミュニケーション論的にいえば情報処理の過程である。一般にコミュニケーション過程においては情報が、記号・象徴・言語という形式によって現実化されている。そして従来何らかの物理現象が、有意味の情報を代表し、それが具体的な過程として流通しない限り、コミュニケーション過程とは考えられなかったが、労働過程に付随する情報交換・処理過程を考える場合には、かかる外界の事象が直接的に個体内部の既存の言語体系と作用する場合も当然考慮に入れねばならない。結局労働過程における情報交換・処理過程といわれるものは、個体と外界および個体相互間の情報の交換という二つの契機によって成立していると考えることができる。前者においては情報は無媒介的に交換され、後者においてさまざまな媒介物が交換過程に介在する。この二つの過程は、弁証法的な対立関係にある。事象と個体との間の情報交換の結果は、なんらかの形で個体相互間の情報交換と関係する。前者において情報は個別的・特殊的であるが、後者においては普遍的・一般的になる。*情報はかかる関係において普遍化の傾向を持つ。と同時に、普遍化された情報は知識として、あるいは論理として個体の内部に蓄積される。この関係は無限に続く。以上がこのコミュニケーション過程を構成している基本的な原理であるが、ここで明らかなことは、情報交換・処理過程は人間の認識過程、および個々の認識の成果の組織化の過程＝認識されたものの論理化の過程、を構成する一つの要因であるということである。

* 個別的なものが、他の個別的なものに媒介されることによって普遍的なものに転じていく論理は、弁証法の固有の論理である。とくに労働過程において、この論理が展開されていることの指摘は、マルクス、藤野渉訳『経済学・哲学手稿』国民文庫版、一九六三年、一〇七―〇八頁にくわしい。

労働過程とコミュニケーション過程(3)

さらにこの問題に立ち入って考えてみよう。個体相互間の情報交換の過程について考えてみると、先にふれたようにさまざまの媒介物によって構成されているわけであるが、この過程の中での一つの傾向として個別の情報は常により普遍的な、一般的な、社会化された媒介物によって媒介される。すなわち、最も普遍性、一般性の強い言語によって媒介されるようになる。他方、新しい事象の出現の場合、当初は、個別的な、一般化されない媒介物によってしか情報は交換されえないということと同時に、個別の労働の特異性は、常に閉鎖された媒介物の出現を促している。すなわち、一般化され普遍化された言語的記号ですら、ある状況の中で特殊な概念しか表象しえないような状況がある。言語記号の多義性と同一対象物にいくつかの言語記号が対応することの根拠はここにある。要するに、この情報交換・処理過程の内部において情報が現実的形態をとる場合に、情報は媒介物の普遍性と特殊性の両者によって規定されざるをえない。このことは言語発生の重要な契機となっているはずである。

労働過程とコミュニケーション過程(4)

さて労働過程における情報・交換過程は、労働対象に作用する人間の意識的行動をも含めた物質的過程の全くの反映であった。労働過程を構成するさまざまの要因は、特定の具体的な情報形態をとることができるし、とらねばならない。全過程を構成する個々の特定の過程は、一定の構成化された各種の情報によって表象される。具体的な物と、特定の情報との間には常に一対一の対応が成立している。

このことは、労働過程に付随する情報が人工的に作られた一定の記号群への翻訳の可能性を示唆している。技術体系の整備の結果、人間の肉体的諸能力は、機械によって延長され、代替された。その結果、人間の情報処理の占める領域が拡大した。そしてさらに、翻訳された記号群およびその体系が機械的処理を許すものであるならば、かなりの部分の情報処理もまた、機械に置換されることだろう。とくに諸個人相互間の情報交換の過程は、ほぼ完全に機械的操作に代替される。機械は正確さと迅速さにおいてはるかに人間の能力を越えている。

ここに至ってわれわれは、労働過程における人間の存在の意味を再び検討しなければならなくなる。それは現段階でのコミュニケーション科学の主要な課題の一つである。個体内部のコミュニケーション過程、すなわち諸個人の持つ内的な情報処理の過程を考えてみることである、といいかえてもよかろう。人間が機械への従属性から脱出する契機は、人間が状況を認識し、そこに置かれた自己を対象化するとともに、状況自体を対象化することによって提示される。先にふれた通り、これはある意味での認識活動である。この過程は、換言すれば、物からの直接的な情報と他の個人からの情報に対する当該の個人の内部に定在する既存の知識・論理＝定着した情報群とその体系との相互作用の内的メカニズムである。かかるコミュニケーションの能力＝情報の交換・処理能力を、人間は基本的な労働過程の中で獲得するが、同時に、この能力によって労働過程自体を対象化し、労働過程への埋没から自らを解放し、労働過程の変革を行なう。かかる能力とは、いうまでもなく、低次の神経作用から高度の神経活動、さらに理性的な判断・分析・総合能力に及ぶ認識作用にほかならない。そしてそれは、人間の言語能力の原因であり、同時に結果である。かくして、あらためて言語とは何かという問題を解明せざるをえなくなるわけであるが、情報交換・処理過程における情報の媒介物の意味については、後の節であらためて考えることにする。

労働過程とコミュニケーション過程(5)

以上のべたところで明らかなように、人間は人間が外界へ何らかの形で働きかける過程、すなわち労働過程の中で独自の情報交換・処理過程を形成し、そのための能力を獲得する。さらにそのことは、人間が自らを人間として規定することを可能にしたのである。換言すれば、情報交換・処理過程は、それによって人間がより有効に外界に働きかけるという意味で一つの人間と労働過程の関係を規定し、さらに、労働過程が人間自らを人間として規定する作用をより高度化し、論理化するという意味で、人間と労働過程の関係を規定するという形で、二重の性格を持つのである。そこにコミュニケーションという機能の独自な性格の基本型を設定することができる。

情報交換・処理過程の独自性(1)

労働過程において、労働対象と人間の精神的・肉体的エネルギーを物的に媒介する技術体系が拡大し、人間と労働過程の相互関係がより複雑化するのに併行して、処理すべき過程量は増大の傾向をたどる。さらに、技術の体系化の進行は、必然的に労働過程における人間の存在形態を変貌させる。つまり、労働過程における労働力の組織の仕方を変化させる。端的にいえば、組織自体が規模を拡大し、組織の構成は複雑化する。当然のことながら、そこに組織が有効に機能するための一定の情報交換が要求されてくる。つまり、物的過程からいちおう独自な情報の交換が行なわれることになる。そして、このように労働過程内部において処理すべき情報が増大することによって情報の交換・処理を専ら行なうための機構、ないしは、このような交換・処理能力を持つ特殊な労働力が要求されてくる。このような情報処理の機構ないしは労働力は、もちろん、単に労働過程の進行を促すという、あるいは潤滑油となるといった物的過程に従属するものとして、当初は成立するのであるが、一方当然のことながら、労働力の組織化を含めた労働過程の統制を行なうものとして機能しなければならない。

このようにして成立した情報交換・処理の機構＝そのための労働力の組織は、処理すべき情報量の増大および複雑化した労働過程の統制のために機構化を進め、その規模を拡大してくる。しかも当初、情報処理機関として労働過程に従属していたものが、その独自の性格を強め、その相対的独自性が、むしろ労働過程が情報処理過程に従属するかのように幻想を与えるようになる。しかし果たしてこれは幻想であるのだろうか。少なくともかかる幻想が成立した以上は、そのための物質的根拠はあるはずである。いずれにしろ、情報交換過程の独自性こそ、別のことばでいえば、コミュニケーション過程の相対的独自性にほかならない。では、コミュニケーション過程に、相対的であるとはいえ独自性を与えるものは何か。この問題の解明によって、先の幻想を成立せしめた物的根拠も明らかになることであろう。

情報交換・処理過程の独自性(2)

まず考えられることは、(1)あらゆる生産の形態において見られることなのだが、常に生産においては、生産の主体者である人間の全生産行程に対しての意識的先取が条件となっている（マルクス『資本論』参照）。生産が、全くの個人の独力のエネルギーの支出によって行なわれる場合にも、個体内に知識・論理として定在している既存の情報体系の活性化、および、それと個人がその状況の中で意識的に蒐集した情報群との関係が活性化されねばならない。つまり、個体内における情報交換・処理過程の特有なメカニズムの作動が必要となる。また、生産に従事する人間が一定の集団形態をとる場合にはその集団の成員の個体内の情報交換・処理過程の活性化とともに、成員相互間において具体的な生産行程（労働過程）に入る前に一定の情報交換が要求され、しかも具体的な労働過程の進行中においても、情報交換が労働過程を促進させ、また時には渋滞させる。かくして具体的な労働過程は一定の情報交換過程＝コミュニケーション過程を前提条件として持ち、しかもそれに従属しているかの如き形態をとるようになる。

(2) 一般にかかる情報交換過程は私的労働と、社会的な需要を媒介するという機能を持っている。とくに生産が資本主義的な形態をとる場合にはそうである。生産される財が純粋に資本主義的な商品という形態をとらなくても、財が全くの私的個人的需要に基づいて生産されているのではない場合にはそうである。いずれにしろ資本主義的生産様式の場合、基本的な生産の無政府性は、社会的需要＝市場に潜むさまざまな要因と、それらを規定する外在的な要因についての可能な限りの情報蒐集が必要となるのであるし、製品の売買を促進させるための生産の後に行なわれる事後的な、私的生産と社会的需要との関係を、需要の恣意的培養によって調整するための特有の情報活動が要請されてくる。最近の私的企業においては前者の情報蒐集の機構は巨大化し重要性を増大させてきている。さらに現代における広告の社会的機能の拡大には著しいものがある。情報機構の巨大化はひとえに私的企業の利潤の実現という目的に奉仕しているのであるが、それ故にこそ、情報活動の民衆の日常的生活への侵入には著しいものがあり、生活自体がかかる情報活動への依存の度合を増している。このような事情もあって、生産過程、なかんずく具体的な労働過程はますます情報交換過程に従属するようになる。

⑶さらに、かかる情報交換・処理過程に対応する機構が巨大化、複雑化するにつれて、この機構において耐えうる労働力には一定の高度の肉体的・精神的能力が必要となる。少なくとも社会的に承認された一定の能力が必要となる。一般にこの機構で要請される能力は、肉体的能力でなく、高度の知的・精神的能力である。とくに資本主義的生産様式をとる場合には、肉体的労働から全く離れた特殊な精神的労働として、特定の個人に集中されてくる。私的企業の利潤獲得において、これらの機構および個人の役割が過大評価され、具体的な労働過程は副次的な意味しか持ちえないものとして評価される。窮極的には社会的に特殊な階級に所属する人々によってこの機構が独占される結果、機構の独自性が過大に認識されるようになる。

情報交換・処理過程の独自性⑶

この情報交換・処理過程において情報群は、常に言語を主体とする記号体系によって媒介されねばならない。むしろ各種情報群は、記号化されることによってはじめて現実化されるのである。したがって、基本的には労働過程で獲得された人間の言語能力、記号を操作する能力が対応しなければならない。いい換えれば、労働過程で出現した言語体系が、その一般性、普遍性という性格によって有効性を持つようになる。言語体系が有効性を持つということは、情報交換・処理過程が、生産過程ないし労働過程において相対的に独自な過程として機能することの一つの重要な契機となっている。

精神的労働がそれ自体として社会的に成立する根拠は、言うまでもなく分業の出現にあるわけであるが、成立を具体的に可能ならしめるのは、かかる状況で出現してその有効性を持つに至った言語体系の特性にほかならない。そして分業の成立ということは、いささか独断的な表現をすれば、特定の労働過程・生産過程において情報交換・処理過程が独立したことなのである。情報交換・処理過程は、本来労働過程・生産過程に付随して出現するわけであるが、先にもふれたように、具体的な個々の情報交換・処理過程は同時的に労働過程にともなって出て来ない場合がある。ある場合には時間的に先行して現われる。そして時には純粋に情報交換・処理過程のみが存在するように思われる状況すらある。精神的労働は、かかる過程の中で有意味であることによって自らを完成する。

状況に対応して、処理すべき情報の質と量は異なってくる。特定の意味を持つ情報に対しては特定の処理・交換の機構が対応し、また特定の能力を持つ労働力が対応する。こうして、一定の企業体、あるいは組織内において処理機構自体が階層的に分化し、それに対応して労働力自体も分化の傾向をたどる。つまり、精神的労働の質がさまざまに分化されるようになる。

情報交換・処理過程の独自性(4)

以上のような独立した情報交換過程もまた、機械化・技術体系の進歩によって原則的には機械に置換される。部分的には従来からかなりの程度置換されてきている。そうでない場合にも、情報交換・処理過程は、それ自体が技術化され、機構化されてきている。

しかし現状においてはあくまでも部分的でしかありえない。というのは、この情報交換・処理過程には、先にあげた労働過程に密着した情報交換・処理過程には見出しえない特殊な個体内コミュニケーションの過程が随伴しているのであって、その部分はさし当たり機械への置換はできない。低次の人間の神経的作用はほぼ機械によって代替されうるが、新しい技術体系の開発、労働過程の再編成、同一の生産過程における新しい財の生産等々に関与する、いわば高次の理性的な能力は、現状では機械化されえない。具体的な生産過程にあっては依然として人間の恣意が許されているし、またかかる恣意性の上に個別の生産過程が成立しうる以上、この部分の機械置換はむしろ許されない。つまり、恣意性が意味を持つ生産過程こそが、機械置換を部分に限定している実質的な基礎になっている。とくに資本主義的生産様式をとる特定の企業体などにおいては、そうである。しかし、たとえば社会主義的生産様式を採用したとしても、かかる恣意性に基づいた置換可能の部分は機械化されるにしろ、ここにいう情報交換・処理過程には労働過程を統制し、労働力に働きかけて労働組織自体を統制する機能がある以上、その部分の機械置換は困難である。また労働過程、生産過程の先取という形での人間の創造性の関与する特殊な個体内コミュニケーション＝特殊な精神的労働（＝精神的生産）をも含むとすれば、その部分の機械化はほぽ現状では不可能であるといえよう。そして、いうなればこの部分こそ、今後のコミュニケーション科学の主要な対象領域となるべきものだろう。コミュニケーション科学が二十世紀後半における認識論として自らを規定するならば、なおさらのことこの問題は重要になるだろう。

以上でふれたことは、特定の集団、組織内における情報交換・処理の過程であった。もちろん、この種の情報交換・処理過程においても、かかる集団・組織の限界をこえ、他の集団・組織へと自らを拡大する契機を、人間の情報処理能力は示していた。かかる契機が現実性を持ったとき、いかなる形態のコミュニケーション過程が成立するものであろうか。この点を解明し、近代市民社会に特有のマス・コミュニケーションの成立の状況をさぐることがつぎの課題となるであろう。

物の流通とコミュニケーション過程(1)

これまでに述べたことは、財の生産に従属したコミュニケーションの過程の基礎構造であった。均質化された経済的諸集団（たとえば封建時代の共同体的生産単位）の内部においては、生産は常に一定の欲求を充足するために、すなわち具体的な形態を持つ消費のために行なわれている。欲求（ないしは消費）はまさに直接的に生産と連関している。むしろ、正確にいえば、消費という行為は生産という行為に範疇的にはくり入れて考えることができた。したがって、そこに成立する生産↕消費にかかわる情報交換・処理過程は、生産過程とコミュニケーション過程との分析に一元化して考察することが可能である。けだし、財の拡散する範囲は閉鎖された一定の共同体を限界としている場合、財の流通にともなう情報の交換は、その限界をこえて行なわれることはありえないからである。そして各共同体は生産という基本的原理により統轄されている以上、情報交換・処理過程は生産に全的に従属していると規定してよかった。

また資本主義的生産様式の成立においては生産的諸組織は、文字通り、生産のために存在するものとして規定することは可能であり、生産に付随する情報交換・処理過程は、その生産にとって内的である限りは、基本的には、生産に従属したものとして規定してよかった。

しかし、先にもふれたように、資本主義的生産様式の場合、私的生産は常に必然的に社会的需要と媒介されねばならなかった。かくしてそこに一定の情報処理のための機構が要請されたわけである。この情報処理機構は、生産過程にとっては、外的である情報蒐集に従事するという意味で、機構自体は生産過程内部にあるのだが、機能としては外側に向かって開かれたものでなければならなかった。資本主義的生産様式をとる場合には、生産された財＝商品は、必然的に市場における交換過程を前提としている限り、交換過程を内部的に処理する情報蒐集・処理の過程は外的諸要因に連結されていなければならない。

ここから異なった情報交換過程の存在が必然的となる。資本主義的生産様式以前には財の交換は閉鎖された共同体をこえて偶然的に行なわれたのであり、資本主義的生産様式においては私的な経済的諸単位（生産的諸組織、流通的諸機構、消費単位）を媒介させながら交換される。財の交換は「諸共同体の終るところで、諸共同体が他者たる諸共同体・または他者たる諸共同体の構成員・と接触する点で、始る」。そして、「それらの物の量的な交換関係は、最初には全く偶然的である。それらのものが交換されうるものであるのは、それらを相互に譲渡しあおうとする、それらの物の所有者たちの意志行為によってである」。こうして「他人の諸使用対象にたいする欲望が次第に確立される。交換のたえざる反復は、それを一の規則正しい社会的過程たらしめる」（マルクス『資本論』青木文庫版、第一部第一分冊、一九六頁）。こうして偶然的な共同体をこえる財の交換は、日常化された商品交換となる。その際にはすでに成立している「諸使用対象に対する欲望」を前提とするようになる。かつての他者たる共同体の欲望を測定しえない偶然的な交換にあっては、欲望の測定をする場合には、ある種の神秘的な要因を考慮に入れざるをえなかった。そしてそれにかかわる情報もまた人事をこえたものとして観念され、恒常的な情報処理過程を機構化する必要は全くなかった。しかし、交換が「一の規則正しい社会的過程」となるに及んで、欲望および、その社会的存在の様相の合理的な測定は可能となる。同時に合理的測定が要請されるに及んで、情報の交換・処理の過程は必然的に機構化されねばならなくなった。

物の流通とコミュニケーション過程(2)

資本主義的生産様式の以前においては諸共同体を媒介し、資本主義の時代においてはさまざまの経済的諸組織を媒介するために成立した財の交換過程は、必然的にそれにともなう情報交換の過程を生む。そしてとくに資本主義の場合には、その過程に対応する機構を作らねばならなかった。この過程が特徴的であるのは、生産過程にとってはまさに外的なものとして成立するということである。つまり、それ自体が直ちに経済的単位として機能するのである。のみならず、その情報の交換過程は機構化にともなって一つの物的過程として現われる。かつて財を求めて道路が作られ、そこにはさまざまの情報を持った、共同体をこえて旅をする商品が歩いた。現代では財の流通のために道路が作られる。財の流通にともなう厖大な量の情報の流通を迅速化し、正確化するためには、さまざまの機械的手段が技術の発達とともに現われる。その最も著しい例は電波技術の利用であり、鉄道、航空路の開発である。それらはいずれも、財の交換ばかりでなく、情報の交換にも利用されるようになる。

このようにひとたび形成された財と情報の交換の機構は、期待された機能をこえた働きをする。財を求めてでき上がった道は、その道の周辺に新しい生産的・消費的諸経済単位を誘引し、その道は他のすべての財の流通にとって有効性を持つ。それにともなって情報が一定の財の流通に従って交換されるようになり、しかも情報もそれに比例して増大する。このことは、単に量的変化にとどまらない。道によって結合され、しかもその周辺に別の経済的単位を置き、さまざまの情報を交換することによって、当初に道をつくった経済的単位は新しい財と新しい情報の交換によって相互の認識をたかめ、また自らの経済的単位としての性格も変化させる。強いていえば、二つの経済的単位は一つの経済的単位として成立したと考えてよいのである。少なくとも関係することは相互に転換すること、すなわちまた別個の機能を果たすことを諸経済的単位に促し、そのことは逆にさまざまの情報交換に対して質的な変化を与えることになる。それはまた新しい財の交換という変化を生みだし、この因果連関はくりかえし行なわれる。

新聞（それは当初において現在の広告の原初的機能を果たすものとして存在した）は、ある経済的単位、ないしは一定の地域内に集まっている経済的諸単位にとって有意味の他の経済的諸単位に関する情報を蒐集し、それをかかる情報の需要者に対して提供するものとして発生したと考えられる。しかも新聞の発生は、それが財の交換に伴って増大した情報をただ純粋に処理するという、情報交換にのみ限定された機能を果たすものとして機構化されたという意味で画期的な出事事であったといえよう。もちろん、新聞が情報交換の機構として企業化され、大量伝達が可能になるためには、活版印刷技術の開発という技術的な問題の解決が前提されねばならなかった。こうして、下部構造における封建的な経済的単位たる共同体の動揺と、上部構造におけるルネサンス、宗教改革などの精神的な動揺の過程の中で、新聞がなかんずく印刷技術自体が、それらによって規定されながら出現したとはいえ、その動乱の時期に果たした役割は大きなものであったといえよう。

物の流通とコミュニケーション過程(3)

原理的に考えれば一定の財や、それにともなう情報の流通路は、財の流通のために改善される。ところが、ひとたび成立した流通路は、新しい財の交換、新しい情報の交換をも可能にする。しかもその流通路が技術的に高度化され、機構化されるのにともなって、財および情報の交換量は増大し、しかもその質をえらぶことは出来ない。しかし、新聞の出現が財の流通路に全く依存しない、むしろ情報の流通路としてのみ機構化されたことは先にものべた通りである。このことの持つ新しい意味を考えて見なければならない。

元来、印刷技術、電波技術の高度化は、情報量の増大、流通の迅速化、情報の正確化、伝達範囲の拡大等々の主として情報交換の量的側面の改善をもたらすものであった。ところが、これは、財の交換過程、流通過程の体系を変貌させるという間接的な質的側面の改善という働きもしている。しかし、この変化の持つ質的側面にはもう一つある。第一は、純粋な情報処理機構の成立、機構の技術的高度化は、当然個人の能力を超えているので、そこには機構を構成する複数の人間の諸組織が要請される。第二に、純粋に情報処理に機能が限定された機構が成立したということは、各経済的単位を構成する成員が要求される情報を十全に蒐集することが彼の個人的な能力をこえたものであることの結果であるといえる。以上の二点から次のような結論がえられるであろう。

(1) 情報の蒐集、その再構成（すべての情報がそのままの形で伝達されるということは原理的に不可能。この点に関しては後にのべる）およびその伝達という純粋な情報機構の成立は、かつて個別的・特殊的にのみ成立していた精神的労働を機構的・集団的に成立せしめる。しかもかかる労働が、全く情報処理にのみ限定されるということは、肉体的労働からの精神的労働の全くの独立という意味を持つであろう。のみならず、かかる労働は、財の流通から相対的に独自に営まれるようになる。

(2) かかる相対的に独自な精神的労働の成立をさらに規定するものとして、情報処理が機構および機構内の個人によって恣意的に行なわれるということがあげられる。先にあげた情報蒐集・処理が二重の意味で個人の肉体的・精神的諸能力を越えるということがこの恣意性を生み出す。一日分の新聞に収容しうる情報量に限界がある以上、当然のことながら情報の取捨選択をしなければならない。その取捨選択の権限は、特定の機構、あるいは機構内の個人に集中してくる。そして取捨選択の客観的な基準の存在が大変疑問である以上、必然的に当該機構・個人の恣意が入らざるをえない。これがどちらかといえば消極的な恣意性の根拠であるとすれば、その積極的な側面として、次のような問題がある。情報の受容者は原則的には、情報と事実の照合が出来ない以上、特定機構、個人による情報の創造が可能になる。情報は有意味の記号、象徴の集合であって、常に一対一で事実と対応する必要はないのであって、事実に全く反する情報もありうると同時に、事実の伝達を離れた事実についての論評もまた、情報として成立するのである。かかる情報も情報として交換されうることがその恣意性のもう一つの側面となる。しかも受容者にとって事実についての正確な情報、事実に反する情報、事実についての論評という性格の情報を峻別するための原理的な基準がないことが問題である。*

* この点に関しては、リップマン『世論』(『世界大思想全集』河出書房新社、一九六二年、および、清水幾太郎『社会心理学』岩波書店、一九五四年、などを参照。

(3) 純粋な情報処理機構内における人間の諸労働は、その主要な部分が精神的労働によって占められるにしても、すべての精神的労働がかかる機構内に完全に限定されてしまったというわけではない。しかしすぐれて現代的な状況の中では、すべての精神的労働が何らかの情報処理機構と無縁では存在しえなくなっている。このことは一つの重大な問題として残るだろう。けだし、最も本来的な精神的労働は、すべての外的な限定から自立した全くの個人的なものであるはずだからである。比喩的にいえば〈一定の機構内で、その規定をうけた精神的労働〉という表現は形容矛盾でしかないのである。

このような精神的労働の本質的規定と同時に、現時点において考慮しなければならないもう一つの点は、現在精神的労働が現実的有効性を持つためには、諸個人に所属する個別の精神的労働を何らかの形で組織しなければならないというところにある。情報処理機構が独立し、それが機構化され、しかもその中で諸個人が組織されたという事実の背後には以上のようなことがあったと考えられる。しかし、このように機構化されたものとは一応別個に、たとえば研究者、科学者の研究組織に典型的に見られる精神的労働の組織化という問題が残る。この問題は直接には本節の課題ではないが、情報処理機構の成立と、精神的諸労働の関係は原理的に解決できていないさまざまの問題をはらんでいると考えられる。

物の流通とコミュニケーション過程(4)

情報処理機構の自立にもとづく情報の創造という問題は、単に現状における情報交換過程の逆機能的現象とのみ評価できない側面を持っている。けだし精神的労働とは、何らかの意味で常に情報創造に帰着するからである。現実の事象に密着しない創造された情報が現実に対して有効性を持ちえないと同様に、現実の事象を何らかの形でこえていない情報もまた、有効性を持ちえないからである。現実をこえているということは、現実を先取しているということであって、現実を先取することに情報創造の最も基本的な機能があるといわねばならない。

もちろん、たとえば現在のマス・メディアにおける情報の歪曲も部分的に情報創造の契機を持っている。マス・メディアの情報創造の基本的動機は、いうまでもなく現在の経済的・社会的・政治的体制の強化にあるのであって、極めてイデオロギー的な志向性を持った創造活動といえよう。現状においてマス・メディアがかかる行動に出ることは、ある意味では当然のことであるのだが、むしろここでの問題は、マス・メディアの情報を歪曲する形での情報創造が現実に対して一定の有効性を持ちうるというところにある。マス・メディアが体制強化にのり出すということの背景には当然、体制が一定の危機に直面しているということがあるだろう。成行きにまかせるならば体制が崩壊するのが事実の持つ論理的帰結であるにもかかわらず、この論理をマス・メディアの持つ情報創造の機能が部分的にでもチェックしているとすれば、かかる情報創造が一定の自立した社会的機能を獲得しているということになるのである。

情報創造を含む新たな情報の交換・処理過程が、このような自立した社会的機能を果たす根拠はどこにあるのだろうか。もちろん、客観的な歴史的な社会の発展の論理をチェックし、人々に一定の虚偽意識を注入する客観的な物的な根拠はあるだろう。しかし、虚偽意識の培養という点に関していえば、情報創造の果たす役割は充分に大きいといえる。あらためて強調するまでもないほどに、マス・メディアの体制擁護的な機能はしばしば指摘されてきている。が問題は何故にかかることが可能なのかというところにある。この点については節をあらためて述べる予定であるが、問題の一端にふれておこう。

われわれがいままでにふれてきた情報は、ほぼ言語によって構成されている。実際に言語によって構成されていない場合も言語体系を基礎にして構成され、常に言語による情報に翻訳が可能である。したがって情報を構成する基本的な要素は言語であるといってよい。

ところで先にも多少ふれたように言語の特性は、その普遍性、一般性、媒介性、論理性によって規定される。しかし、具体的な状況の下では、情報交換に使用される言語が常にそのような属性を十全に備えているというわけではない。具体的な労働過程から言語が発生し、複数の人間によって交換されることで特有の諸属性を獲得し、さらにそれが労働過程、生産過程内での情報交換・処理過程に相対的自立性を与える一つの契機になったという先に上げた経過と相似の言語の発達の過程が、ここでふれている情報交換・処理過程にもいえるのである。

情報が経済的諸単位をこえて交換されると、その情報は各単位をこえて普遍性・一般性を持つようになる。したがって、かかる情報を構成する言語は、交換を可能にするためにすぐれて普遍的であり、一般的であり、論理的であり、媒介的でなければならなくなる。言語がこうなることは、端的にいえばその抽象性を増すことであるのだが、一つの言語象徴の持つ背後の意味は豊かになるはずである。こうなることによって言語は閉鎖された経済的単位をこえて、すぐれて社会的なものとなる。もちろん、言語はその成立と同時に、かかるものたりうる潜在的可能性を持っていた。言語の属性が基本的に普遍性・一般性・論理性・媒介性である以上当然のことなのだが、言語が閉鎖された社会内で流通する限り、現実的にはそのすぐれた特性にも限界があったと考えられる。しかし、閉鎖性をこえて開かれた社会における情報交換の基本的道具となったとき、その諸特性が完全に展開されるに至るのである。

　情報創造はかかる言語の諸属性を基礎にしてはじめて可能である。逆にいえば、言語のこうした特性があるが故に、社会的権威を持っていると考えられるマス・メディアが全く虚偽の情報を創造しても、それが一定の現実性を持つものと評価されるのである。こうして精神的労働に依存する情報創造は、独立した社会的機能を果たしうるものとして存在するようになる。

　ここでは現在の情報交換過程の持つ自立的な機能を考察するために、精神的労働あるいは情報創造の問題を提出したのであって、精神的労働・情報創造それ自体を分析したわけではない。この問題に焦点を絞れば先にもふれた通り、原理的には、精神的労働・情報創造は個人に属するものであるので、別の視界が開けるはずである。たとえば、芸術的な創造活動、研究活動、科学的な発見などは、ことばのすぐれた意味で情報創造の活動といわねばならない。ここまでにふれてきた情報交換・処理過程=コミュニケーション過程の基本的構造を土台にしてある特殊な体系を持った人間のコミュニケーション過程が成立していて、その最も発達した部分を構成するものとして高度の情報創造の活動があると考えられる。この点に関しては節をあらためてふれねばならないだろう。つまり、以上のようなものとして成立した情報交換・処理過程の基本型の展開過程を考察するのが、次節からの課題となるのである。

3　人間の諸活動とコミュニケーション過程

本節の課題

すでに前節でもふれたように、人間の基本的活動の形式である生産的諸活動において、情報交換・処理過程＝コミュニケーション過程は、相対的に独自の機能を果たしていた。このことを、より立ち入った表現をすれば、生産的諸活動の過程の中でその基本的な機能を賦与された情報交換・処理過程は、その自らを成立せしめた論理の中に、自らをその過程から疎外させる契機をもっていたのである。このような情報交換・処理過程の基本的な論理が人間に特有の複雑で多岐にわたるさまざまの形式と機能をもったコミュニケーション活動を可能ならしめたのであった。以下では多少とも便宜的に類別された人間の諸活動における情報交換・処理過程の構造と機能を考えてみよう。

前節で叙述した生産活動に付随した情報交換・処理過程は、それが人間の諸活動にとって最も基本的な活動である生産活動において現われたものであった。ここでもう一度、人間の全活動領域に考察の範囲を拡大して全情報交換・処理過程についてみると、そのような生産的諸活動とは、直接的にはあまり関係のないさまざまの情報交換・処理の活動のあることに気づく。

たとえば、一日に放送されているテレビジョンの番組の中には少なくとも常識的な意味では、内容的にはむしろ生産活動における情報交換・処理過程には直接に関係のないものが圧倒的に多数を占めている。それは一応は娯楽的内容をもったものと考えられている。最近のテレビ・ラジオの放送にはこの種のものが非常に多く、そのこと自体、ある意味で社会的な問題となっている。このことの当否と、その問題性については、本章の課題ではないが、この問題を本章の課題にそっていえば、娯楽的内容が実は圧倒的に多数の人々によって聴視されていることが問題となるだろう。娯楽的内容により多くの人々がひきつけられていることとおそらく無関係ではないのだろうが、一方でベストセラーといわれる小説、社会的・一般的教養を持った書籍にかなり多くの人々が、相当の時間をあてている。また、一般的に古典といわれている本は、歴史的にもかなり多くの読者を獲得している。放送・書籍・雑誌などは、文盲率がかなり低下してきた現代ではかなり重要なコミュニケーションの媒体となっている。テレビジョン・セットの普及率、書籍の発行数・発行点数、雑誌の週刊化とその発行部数、それと一般的に人々がそのためにふりあてる日常生活の中での単純な物理的な時間数等々その形式的側面にのみ注目しても、われわれにとってそれらの媒体のもつ重要性を無視しえないだろう。すべてのコミュニケーション過程に最も基本的に現われる形式は、意識的な主体者が少なくも二名あるいは二個体以上存在し、それらの間で記号化された情報が交換されるというものであった。したがって、日常生活に現われるここでいうところの情報交換・処理過程においても、当然、娯楽的内容、教養的内容、特殊な場合としては研究的な内容を発信する主体の側とそれを受信する主体の側にすべてのこの過程の問題は分極化するであろう。すなわち、発信者側の問題としては、一定の内容をもった情報がいかなる形で、いかなる意図のもとに、いかなる人々によって作り出されたかということがあるだろう。さらにいえば発信する主体が個人であるか、組織であるか、またいずれの場合もいかなる内的なメカニズムを持って行なわれたか、ということも問題とならざるをえない。受信者側では、一定の情報内容をどのような態度で受容したか、受容した結果がどのようになったか、つまり情報は受信者のどのような内的変化を促したか、といった点が主要な問題になるだろう。もちろん、副次的な問題としてかかる情報がいかなる媒体を通じて送信されたかということがある。本来このことはあくまでも副次的なものであるが、少なくとも現代的な状況では、その媒介の部分が巨大な機構となり、特定の社会的・経済的・体制的規定をうけ、その上で一定の社会的な権威を持つようになっている。のみならず、媒体自体が発信の主体者を機能的には包み込むような状態になっている。この主体の問題性は後の章でふれられるであろう。

生産活動とそれに付随する諸活動における情報交換・処理過程は、発信者と受信者が情報という媒体によって外在的な活動のレベルで一定の機能的結合を行なって完結するという一つの過程を形成していた。ここでいう情報交換・処理過程もまた、その意味では同等の側面を持つのであるが、さきの生産過程の中でその萌芽を見た個体内での情報処理過程がこの情報交換・処理過程では一つの重要な意味を持っている。すなわち、発信者の成立する場、ないしは発信者の固有の内的なメカニズムにおいて成立している情報処理過程が一つの独立した意味を持っているのである。さらに、受信者の側では情報の受容によって、内的な変化が起こるということ、つまり、この情報交換・処理過程にくりこまれることによって惹起される彼の内的な情報処理過程、ないしは、彼における蓄積された内的な情報の定在の全体系の変貌が、外的な情報交換・処理過程から相対的に独自であるという点が重要になる。

いわゆるマス・コミュニケーションの時代といわれている現代において特に主要な情報交換・処理の過程が、前節でのべたコミュニケーションの基本過程の論理を内に含みながらもなお、その基本的な論理をこえたさまざまの問題を持つことをいくつかの例をあげてふれてきた。さて以上のごとき問題は一方で、マス・コミュニケーションという過程の中で拡大されて現象化しているわけであるが、他方では、これからふれようと思うすべての情報交換・処理過程において異なった形態ではあるが、見られることなのである。そこでは、さまざまの形態の独立した情報処理ないしは事実の情報化、すなわち記号化の過程が存在している。しかも個々の過程は相互に独立しながらも、さらに固有の形態で連鎖されている。そしてそれらの個々の過程は、相互にさまざまに規定しあいながらも独立である。このような人間に独自に備わった情報交換・処理過程の構造と機能を考えてみなければならない。

個体内コミュニケーション過程の構造(1)

自然は主要には、人間にとって労働の対象である。人間が自然を労働の対象とすることが可能になったということには深刻な意味があると考えられる。動物にとっては自然は労働の、つまり主体的な意識的な行動の対象たりえないので、自らもまた自然の一部である。生存ということは自然の一部としての自らを周囲の自然と調和させることによってはじめて成立する。ところが人間は、物的には自然の一部であって、自らを規定する論理は自然の論理であるのだが、自らにとって客体である自然の一部に変化を与えうることを自覚したとき、自然から自分を自然に所属しないものとして区別しうることを知る。自然と自らの間に単に調和といった関係だけでなく、敵対的な関係のあることを知るようになる。自然を対象化して認識すると同時に、自らをも自然の一部でありながら自然にそむいたものとして意識するようになる。もとより、自然は人間の認識能力を常にこえている。ある時代に人間に意味のあった自然の範囲は、正確にその時代の人間の認識能力に対応している。そして自然が常に人間の認識能力をこえていることが逆に人間の認識能力を豊かにし、拡大する起動力になっている。人間の認識能力をこえた自然のある部分は、人間にとって意味はないが、そのことは人間と全く無関係ではない。場合によってはそれは人間の生存の脅威でもあったし、今後もなおそうであるだろう。現代においては、その認識しえない部分に対して人間は科学的ないくつかの手段を持って自らの生存を守ろうとする。しかし、かつて人間は、その部分に対しては、ある種の宗教的な営みをもって対応するしかなかった。

そしてこの場合、自然は労働の対象であると同時に、宗教ないしは呪術の対象となった。人間の認識能力は、労働の対象たる限りでの自然の論理的再構成をするが、一方、人間の宗教的ないしは呪術的活動は、かかるものとして自然を再構成する。人間のこうした二重の自然に対する態度、換言すれば、人間に対する自然の二重性が、人間のすぐれた精神的諸活動の契機となっている。

個体内コミュニケーション過程の構造(2)

ところで、このようにすぐれた精神的諸活動を成立せしめる根拠はなにか。それは労働の過程の中で獲得した人間の認識能力にほかならないのであるが、さらにいえば、かかる認識能力が認識能力として普遍性を持ちうるということは、その過程で獲得した人間の言語能力に依存しているといって過言ではなかろう。それはさきにもしばしばふれた言語の普遍性、一般性、媒介性、論理性に依存しているのである。

このようにして成立した言語体系と言語能力は逆に、労働対象たりえない、人間をこえている自然のある部分を呪術的に再構成するところで一定の作用をする。正確にいえば、ある段階にまでできた言語体系、言語能力が、一定の宗教的自然観を生んだのである。* 言語体系と言語能力があれば、人間をこえた自然の一部を名辞化すること、つまり言語化することは可能である。成立した言語体系があれば言語化されたものは普遍化する。普遍化されながらもその部分は合理的な認識たりえないとすれば、言語と言語化されたものの間には、深刻な断層が生まれ、その断層をうめるものとしての宗教的・呪術的な要因が意味を持ってくる。

* 一定の段階に達した人間の言語能力、言語体系が宗教と呪術の基礎になったことについては、いまさらいうまでもないが、たとえば、W・ジェイムズ、桝田訳『プラグマティズム』岩波文庫、一九五七年、四四頁、には言葉と人間の認識能力の関係がふれられている。さらに言語とその発生を同時にする意識が基底的には、社会的分業の成立を前提にしながら人間の自然に対するさまざまの対立の契機となることについては、マルクス、唯物論研究会訳『ドイツ・イデオロギー』ナウカ社版、一九四六年、二一―二頁、に述べられている。

ところで、一般に、かかる自然の部分は、自然を構成する何らかの具象物によって象徴化されている。つまり象徴化ということは、普遍化と認識不能という二律背反を自らの中に止揚することである。このような象徴化によって断層をうめるわけであるが、そしてそれは往々にして宗教的な規定をうけるために、このことはこの断層を科学的・合理的に明確化し、それをうめてゆく営みを抑圧した。

しかし、かかる断層の意識、断層の象徴化が可能になるのは、いうまでもなく言語能力のおかげである。象徴化が宗教的色彩を持ったとはいえ、断層の意識は、人間の想像力を刺激し、認識可能の領域へのくり込みの契機となる。また象徴化という働きは、自らの中に矛盾した契機を持っているということで人間の精神的能力を前進させる契機ともなる。が、ここにいうまでもないことであるが、象徴化が断層を固定化し、人間の認識能力の発展を阻害した歴史的事実もまた否定できない。

個体内コミュニケーション過程の構造(3)

断層の意識が契機となって成立する人間の営みは、一方でいわゆる科学となって成立する。したがって、科学は宗教と真向から対立せざるをえなかった。宗教は常に断層を固定化して来たのだから。科学は基本的には、言語と言語化されたものの間の断層をうめる作業であって、それ故に人間の自然への働きかけを基礎にしながら、獲得された諸経験の言語化（記号化）とその言語の論理的整序という具体的な過程を持つ。[*] つまり科学は、労働過程において成立した情報交換・処理過程の終わるところからはじまる高次の情報処理過程であって、その情報蒐集の方向は、当然のことながらさきの断層にむかっていく。部分的には、労働過程に含まれているが、その外側にむかって自らを開かない限りその生産的な有効性を持ちえない。科学の成果は、論理的に整合されて、すなわち言語化されてはじめて現実化する。それは、技術を媒介にして再び労働過程ないしは（というのは、この場合、対象としての自然は単に物理的自然を意味するだけでなく、人間にとって有意味の外的環境をも含めて考えているから）、生産過程、流通過程にもどっていく。[**] かかる物的諸過程に還元されていく過程は、技術化の過程であってそれは科学の領域たりえない以上、科学というのは、始点と終点において物的過程に連結される契機を持ちながら、それ自体としては、独立した高度の情報処理の過程と考えることができる。それがすぐれて情報処理の過程である以上、科学の内的メカニズムを支えているのは、言語体系および言語能力といえよう。

* このことについて別の表現をすれば、科学の基本的な契機が方法論であり、論理学であり、認識論であるということになる。この点に関しては、戸坂潤『科学論』（『戸坂潤選集第一巻　科学論』上、伊藤書店、一九四六年、参照。

** 科学が物質的な諸過程から相対的に独自であること、生産的・技術的実践を基礎としながら、技術を媒介にして物質的過程にかえされていく過程については、武谷三男『弁証法の諸問題』理学社、一九四六年、および武谷他『自然科学概論』第二巻、勁草書房、一九六〇年、などにおいて指摘されている。

個体内コュミニケーション過程の構造(4)

断層を象徴化するという人間の働きは、原則的には、ともかく、事実的にはその中に宗教的・呪術的な要素をも含みうるということで、宗教との決定的対立はなかった。ところで、このような働きは、芸術的な創作活動という形で特殊な人間活動に収斂された。

芸術の本質規定がさまざまに分かれたり、またそれぞれ十分に説得的たりえない曖昧さを持つ所以もまた、かかる矛盾をはらんだ象徴化をその基底に持っているからにほかならない。それはともかくとして、芸術は科学と同様にその基本的な機能を自然の再構成に持っている。しかし、科学が、自然の論理に従って再構成したのとは違って、芸術における再構成は、象徴化において典型的に見られたように、言語を主体とする特殊の記号を媒介にしながらも、常に自然に対してその論理を破壊し（意図的たるといなとを問わず）、さらに恣意的に構成するという形態をとる。この破壊と再構成の過程に、かつては宗教・呪術が介在し、自然は人間によって宗教的に歪曲されて構成された。そして今日、破壊と再構成に介在するなにものかが作品の美という要素を構成している。

芸術が破壊と再構成によって成立する以上、破壊にたえうるだけの、認識され、論理化され、言語化されて、そして対象化された自然が前提として、なければならない。芸術的活動に参与する個性的な主体は、多くの場合、このように記号化された自然を条件として持たねばならない。広い意味の科学によって達成された自然の再構成についての知識を情報という形で持たねばならない。そしてさらに、かかる情報の持つ体系をいったん分解（破壊）するだけの特殊な情報処理能力を持たねばならない。そして窮極的には、芸術的な創造の過程においては、このようにして分解された情報の要素を、彼が独自に蒐集して構成したある未知の領域についての素材的な情報、あるいは、それに触発された彼の情報処理の能力とのかかわりあいの過程で再構成する過程が重要になる。

このように、芸術とは、特殊な資質を持った主体が、さきの科学において行なわれた情報蒐集・処理過程のさらに外側で、特定の対象に対して既存の言語・記号体系に依存しながら行なう情報蒐集・処理の過程といえる。芸術の場合には自然から意識的に離れることに重大な意味があるのであって、それは自然の論理の破壊という形で一定の意図の下において行なわれる恣意性を不可欠の条件としている。

芸術的な活動を一つのコミュニケーションの過程ないしは情報の処理過程とみることで、ある程度、従来曖昧であったところが明確になると考えられるが、それにしても一般的な積極的意味はないかもしれない。しかし、現時点では広い意味での創作的活動は巨大なコミュニケーションのネットワークの一環を構成する重要な要素となってきている。つまり、今日においては、かかるネットワークを前提にして、それ自体がすぐれて情報交換・

処理過程的なるものとして成立していると考えることが必要になってきているのではなかろうか。のみならず今日、原理的に最も機械に置換しえない人間的能力は、かかる芸術的な創造能力であるだろう。してみれば、第一節でふれた人間の独自性は、特有の情報処理の能力である芸術的活動に一つの根拠を見出すことになるだろう。

個体内コミュニケーション過程の構造(5)

自然の論理からどの程度の距離を持つかということで、その両極にある科学と芸術をあげて、それらを構成する要因としてコミュニケーション＝情報処理過程の意味を考えてきたが、以上の二者を両極にしてさまざまの人間の精神的活動の領域がある。たとえば、思想といわれるものも（イデオロギーといわれるものも含めて）ある種の情報処理の過程として規定しうるであろう。

すなわち、思想といわれる営みもまた、科学とともに情報化された諸経験を体系化するという形での情報処理の過程である。ただし科学が、処理する対象として情報群とともに、その処理の方法をもまた自然から取得してくるのと異なって、思想という営みにおいて人間は、状況を先取して体系化された論理をもってさまざまの情報を整序するのである。もちろん、状況を先取して体系化された論理もまた、自然の持つ客観的な論理から抽象されてくるわけであるが、その場合、思想というものは、自然に関するすべての情報を処理するという基本的な機能を持たねばならないので、すぐれて普遍妥当性を要請され、したがって、高度に抽象化されていなければならない。思想がかかる強い情報処理能力を持つという意味で一つの思想が人間をとらえたとき、すぐれて行動的な人間を生み出す。

抽象的であるということは、ある意味で恣意的であるということであり、また普遍的であるということは、自己解放的に自らの対象とするところを求めることになる。その結果、思想は一方で科学に根拠を置くことなしに、すなわち、自然につかずに成立しえないとともに、芸術と共通する恣意的要素なしに説得的たりえないという両面性を持つ。

思想が、かかる二面性を自らのうちに統一して成立するとすれば、統一を可能ならしめるのもまた、言語の持つ特殊な性格にほかならない。すなわち、言語の持つ普遍性・論理性は、思想の科学的根拠を形成し、その一般性は、特殊の説得性を与える。思想とは本来、情報処理能力であって、思想活動は体系的な情報処理能力をそなえながら、外に開かれた個体外的な情報伝達の活動である。そうである以上、思想はかかる情報処理能力が、外的なコミュニケーション・ネットワークにくみこまれるか、あるいは自らかかる伝達網を形成してはじめて意味を持つ。情報交換・処理過程の意味は、次節においてあらためてふれることになろう。

人間のさまざまな精神的な創造的活動におけるコミュニケーション＝情報処理過程の意味を考察してきたが、さきにもふれたとおり、本来これらの活動の内在的メカニズムを分析する場合に、コミュニケーション科学を適用しなければならない客観的な根拠はいまだ明確でない。ただ第一節にもふれたように、現段階におけるそれぞれの意味を問う場合に、なんらかの有効性があると考えられる。この点に関しては、今後のコミュニケーション科学の展開と、当該対象領域の研究の成果に期待できると考えられる。

個体内コミュニケーションと外的コミュニケーション過程との関係

前のセクションにおける考察は、主要には個人と環境（＝外界）との直接的な関連を媒介するある種の情報処理過程に向けられた。この過程は、すぐれて個体内における情報の処理過程であって、そのことによって人間の精神創造性の契機ともなっている。

さて、人間が人間であるための社会的要因の発現、もしくは精神的な諸活動が一つの精神的な成果となるための社会性の獲得は、かかる情報処理過程が、個人にとってあくまでも外在的であるところのある種の情報交換過程とリンクされねばならない。かかる情報交換過程は、すでに第二節でふれた形態を持って成立している。もちろん、そこで成立していた情報交換過程は、特定の社会的機能を担うものであったのだが、ひとたび成立した情報交換の過程は、その過程を流通する情報の質をえらばないのであって、さまざまの情報がそのルートによって交換される以上、結局のところ、精神的な諸活動の成果も、この過程とリンクされて社会性を獲得する。その社会性獲得の条件となったものがまた、言語の特性であった。

音声化された言語（その他の記号群を含めてもよかろう）は、当初は、文字通り、情報の空間的な交換の手段であった。あくまでも空間的なコミュニケーションの媒介物であった。他方で個人のさまざまな経験・認識の堆積はそれをなんらかの手段・方法で外化し、客観的に具象化（記号化）することによって、記憶しなければならない段階に必然的に到達する。それは、なんらかの図形による、特殊個人的な方法から、さらに特定の図形に社会性をもたせることで普遍的な性格が賦与されてはじめて社会的な記憶の手段となった。つまり記録の新しい方法となった。この図形化と、音声化された言語の間になんらかの対応が生まれて、本来の、言語とよばれる特殊な記号体系が成立する。したがって、言語は本来的に記録という機能と情報交換という機能を自らのうちに統一している。ことばをかえていえば、記録ということも、時間的に一定の間隔を置いた個人の間の、あるいは諸個人の間の情報交換の過程と考えるならば、言語は、空間的と時間的という二つの契機を自らのうちに統一している情報交換の手段といえよう。

言語を媒介とする情報交換の過程は言語の情報交換の手段としての二面性に対応して、自らもまた、空間的・時間的規定性という二重の性格を持っている。二重性を持つことで、個人にとって外在的である情報交換の過程が、個体内の情報処理過程と完全な形でリンクされて、ここにはじめて精神的諸活動を始点とする情報交換過程が社会的な規定性をもって成立し、その精神的諸活動の質によって特定の文化の一局面となる。

たとえば、ある特定の芸術的内容、科学的内容、思想的内容を持った情報が、機構ないしは主体化された個人、あるいは、かかる個人を含んだ機構を媒介にして、複雑な過程をもって世代間に交換（＝流通）されるとき、広義の意味の教育という一定の文化形態となる。あるいはまた、娯楽的内容を持つ情報が、さまざまの媒体を通じて交換されるとき、コミュニケーション活動に含まれる娯楽形態となる。あるいは、説得という主観的な意図を強く持った主体が、思想的内容を持つ情報を特定の個体群に伝達しようとするとき、情報宣伝活動とよばれるある種の情報交換過程が成立する。このようにして、特定の内容を、特定の主体が、特定の意図をもって伝達しようとするときに、さまざまの形態と機能を異にした情報交換過程が成立することになる。いずれにしろ、物の運動の過程からは相対的に独立し、人間の精神的活動を主要な要因として含んでいる。

ここでは、いずれも多数の人々の複雑な活動を体系化したものとして成立している各種の文化形態の中から教育・娯楽・宣伝をあげてみたが、いずれの場合も、それらの中にあって情報交換過程が主要な機能を担っている。とくにその現代的形態にあっては情報の交換過程が厖大化し、しかも、独自の問題性を持つに至っている。ここでは、個体内での情報処理過程が、外在的な情報交換過程といかにしてリンクされるかが問題なのである。

ところで、体系化された情報過程である教育という領域は、その理想化された形態はともかくとして、現実的には、教育のおかれている社会的・経済的・体制的諸条件によって大きく規定されている。また、思想的内容を伝達せんとする情報宣伝活動も、その点では同様であろう。こうなってくると、この種の情報交換過程の内実は、当然、すぐれて政治的な色彩を持つようになるであろう。そこで政治的といわれている特定の人間の諸活動における情報交換の過程を独自に分析する必要が生まれてくるであろう。このような本節でふれられている情報交換・処理過程が持つ社会的・政治的・体制的規定性の問題は、第四節であらためてとりあげねばならない。ここでは、個体内の情報活動が個体外の情報交換過程に接合することの問題性を確認しておけばよい。

コミュニケーション過程の全体的構造

新聞は、その成立の過程をたどれば、物の存在の体系とその流通の過程に付随しているものである。しかし、現実に毎日われわれにとどけられる新聞は、単に物の存在とその特性を指示するという機能を大幅に後退させている。そこには、たしかに特定の人々に対しては、彼の生産的諸活動に重要な意味を持つ情報群が存在する。しかしそれだけではない。大半の人々にとって、いまや新聞は、娯楽的・教育的・教養的・政治宣伝的な機能を持つものとして存在している。テレビにしても、その技術的基礎には物の流通に従属する情報交換の手段として開発された電波技術がある。今日専ら大量の娯楽的内容を伝達しているテレビは、かかる基礎的な電波技術の異常な進歩がもたらしたものであった。娯楽的内容がほとんど大半を占めているとはいえ、原理的にはテレビジョンという情報交換の手段は、さまざまの機能を果たしうるのである。

すなわち、ある特定の場において成立している情報交換過程は多くの場合、さまざまの働きをしているのである。時間的・空間的に生産ないしは労働の場から離れて成立している情報交換の過程、たとえば夕食後の一家団欒の場所での情報交換の過程は、その集団を形成している諸個人にとって、さまざまの意味を持っている。そこで行なわれる親子の会話はあるときには教育的な意味を持つこともあるであろうし、子供同士の会話には娯楽的な意味もあるだろう。そして現代においては、特定の場所に侵入してくるさまざまの形態の外部的情報が、その情報交換の場の性格を規定している（そのあらゆる情報交換の場に侵入してくるものとしてマス・コミュニケーションは一つの顕著な特徴を持っている）。

このようにさまざまの形態と、特定の機能を果たすものとして成立した情報交換過程も、成立とともに、形態転化をはじめ、同時に、その機能をも変化させる。と同時に、本節でいう情報交換過程は、その主要な構成要因として個体内の固有の情報処理過程＝創作的活動を持っているので、ある空間に、ある瞬間に成立する一つの情報交換過程すら多義的となる。すなわち、端的にいって部分的には受容者の主体的条件によって、全過程の諸個人に対する意味が決定される以上、特定の情報内容すら多義的たらざるをえないのである。そして、個人を焦点として、さまざまの形態と機能を持つ諸過程が機能的に結合されている。換言すれば、各過程は相互に浸透しているのである。浸透の仕方は、当然、時間的、空間的に重層的な構造を持っている。これを個人のレベルにおいていえば、時間的には、個人が主体的に行なう情報交換・処理過程は、堆積されている情報体系に意味があるのであり、空間的にいえば、個人の意思決定ないしは行動の動機は、さまざまな形態と機能を持つ情報交換・処理過程の合力に規定されていることにほかならない。

総体としてみるならば、情報交換過程は形態的には、対面的な、非常に簡単な形態のものから、マス・コミュニケーションといわれる複雑で巨大化したものまで含んで、大きな一つのネットワークとして存在している。

そしてそれを機能的に分ければ、財の存在の体系とその流通に密接に従属したものから、その財の過程から相対的に離れているものまでを考えることができる。その物的過程からの距離の量的・質的規定性が、さまざまの情報交換過程の成立の根拠となっている。

コミュニケーションの総過程（＝総体としての情報交換・処理過程）は、このような形態と機能という二つの次元の分析を統一してはじめて構造化して把握されるのである。このような形での総過程の構造とその動態の分析には、まだほとんど手がつけられていないといってよい。

4 政治過程とコミュニケーション過程

政治過程における二つの契機

近代政治学といわれる学問領域における概念規定でも明らかなように、政治過程といわれるものは、二つの契機によって構成されていると考えてよかろう。すなわち、権力とよばれる物理的強制力をともなった社会的な力を背景にしながら、一つは行政・立法等の技術的・統治的な過程であり、他方は、さまざまの政治的諸集団の相互作用・組織作用と、それらを媒介する象徴過程から成る機能的側面である。

かつて二十世紀初頭の政治学は、この第一の側面を主要な対象領域として、正確にいえば行政学と規定されるものでしかなかった。その後、具体的な政治の領域におけるさまざまの集団の発生とその機能をも考慮に入れることによって、文字通り政治学として成立するわけであるが、かつての行政学の持った特有の対象領域が今日新たな課題を提出しているように思われる。すなわち、今日のわが国の状況において、きわめて特徴的に見られるのは、いわゆる行政的な諸機構が、それをとりまくさまざまの政治的機能を持つ集団と相互作用を営みながら、独自の機能を果たしているのである。この点に関していささか立ち入って考えることはとりもなおさず、政治的過程と情報交換・処理過程の関係の一つの局面を明らかにすることになるであろう。

行政的機構と情報交換過程

全権力機構の中の行政的ないしは立法的機構といわれ

るものは、いわば、権力過程と情報交換過程を統一したものと規定される。そして現象的には行政的機構は、上から下への情報の流れという過程そのものとして存在している。それは、財の流通に付随した体系化された情報交換過程を形式的に巨大化したものにほかならない。この機関における諸決定はさまざまな複雑な過程を通じて交換され、その窮極の地点で具体的な物的過程の発端となる。たとえば、政策は、政治的諸集団との機関の相互作用の中から、この機関内部のさまざまの情報交換過程を経過して成立する。政策はそれ自体としては一個の体系化された情報であるが、その成立の前提条件と、情報の具体化という段階で物的過程に接合している。この二つの物的過程にはさまれた場に、特殊な形態をもって成立している情報交換過程が、いわゆる統治のための行政的機構である。この情報交換過程は、権力と統治という二つの契機を内にはらんでいることを重要な属性としている。

このことが、この情報交換過程に独自の性格を与える。つまり、この機構は、実は、さまざまな方法に基づいて資格ありと社会的に判定された特定の個人ないしは特定の集団によって、その実質的な部分が占有されている。そしてこのような個人なり集団は、社会的な客観的な条件に規定された恣意によって動機づけられている。したがって、この情報交換の過程は、権力と統治の要請に基づいてかかる恣意を許容する。このことがこの過程の物的過程からの独自性の根拠となる。このような過程を経過して成立した政策は、自らのうちの社会的要請と、それに基づいた恣意をはらんでいるが、ひとたびこの機構内部において処理されると、一定の社会的権威を持ち、しかも権力に裏打ちされて登場する。特定の個人、集団の恣意はもはや恣意ではなく、社会的に条件づけられた統治機構自体の正当な意思として成立する。

この情報交換過程の特質は、かくして、かかる恣意が(一般的にいえば複数の恣意が)政策にまで展開する独自の情報交換過程として把握されなければならない。

政治過程における情報交換過程

しかし、論究がここまで進んでくれば、当然、集団の相互作用、組織作用にともなう情報交換の過程の考察に自らうつらねばならない。政治的に有意の諸集団の関係は、複雑な利害を前提とした一種の情報交換過程のネットワークとしてある。この過程はかかる利害の調整過程であって、利害を前提とした諸個人・諸集団の相互的な情報交換の過程で、さまざまの恣意が客観性をもった一定の政治的意志へと昇華されていく。恣意が一定の意味を持ち、かつ、各々の恣意の相互的な規定によって客観的に有効な政治的意思決定となるこの過程には、特殊のダイナミズムが成立している。つまり、ある特定の政治的恣意の外在化に至る過程には、非常に複雑な要因が介在し、またその過程が成立する場は多く、一般の民衆には全く認識不能のものであって、もはや科学的に把握しえないという意味で特殊なのである。もちろん、特定の社会のある政治的決定は、その社会を構成するさまざまな社会的勢力の間の歴史的にして論理的な力動的な相互規定性によって拘束されている。しかし、ある時点の、ある決定の出現の背景には、このような客観的に認識しうるもの以外のなんらかの要因が常に一定の役割を演じている。たとえば、ある地方的な、限定された問題についての意思決定は、全体社会的にみれば、他の地方的・限定的な施策によって常に調和させられるにしても、特定の地方という限界内で考えると、全体社会のレベルでは無視しえた意思決定が意味を持ってくる。この種の意思決定は、その地方と全体社会をつなぐ特定の機関の中での情報交換過程の特性に依存せざるをえない。

したがって、ある意思決定にさいして、いかなる主体が、いかなる場において、いかなる情報交換過程を構成していたかということが非常に重要な意味を持ってくる。

この過程における意思決定は、それが一定の政治権力、政治的勢力を前提としているという意味では客観性を持ちうるが、まだ公的な機構内で、それについての情報が処理されていないという意味では一つの恣意にすぎない。この過程は、さきにあげた統治機構の情報交換・処理過程に連結されてはじめて政策の段階に達する。

政治過程における情報交換過程として、見逃すことのできないもう一つの過程は、政策決定とそれに付随して起こる物的過程との間に介在し、同時に、一定の政治的恣意の成立の前提条件となる世論過程ともいわるべきものである。

近代市民社会における政治的ルールとしての民主主義は、一つのフィクショナルな体系であって、近代におけるブルジョア社会の政治形態を理念的に論究した人々が、その基本的な問題の中にある種の記号論を含ませていたことがそのことを物語っている。そこでは、事象から分離した（分離したということは事象の論理に反するということではない）記号体系が意味を持ち、かかる記号体系による情報交換過程こそ、民主主義のルールを構成するのである。とすれば、すぐれて象徴化された記号群が重要な意味を持つようになる。かくして民主主義の理論化には、当然のことながら記号論は不可欠であった（この点については、ホッブズ『リヴァイアサン』、ロック『人間悟性論』いずれも岩波文庫、参照）。

ところで、一般的な大衆が、大量に政治に参加するに至った二十世紀においては、かかる大衆の存在と政治的諸機関・諸機構、諸機能とを媒介するなにものかが要請されてくる。それは相互の意思を交換するところの、権力の側からみるならば、世論の反映過程と、世論の形成過程として成立する。世論を反映させ、かつまた、世論を形成する過程が、権力の意思によって文字通り規定され、世論が操作されているという指摘は、いかなる世論を対象とした論究にも見られるところであるが、世論過程は、かかる意味においてすぐれて情報交換の過程となる。アメリカにおいてマス・コミュニケーション科学を構成する主要な要素として世論を対象とした領域があるが、戦後のマス・コミュニケーション科学の展開に世論科学の果たした役割は否定できないと考えられる。それは世論科学が主要な作業として象徴分析を行ない、そのためのかなりの有効な象徴論を構想したことによっている。そしてこの象徴論は、十八〜十九世紀において、勃興するブルジョア階級の政治制度を理論化した人々の持つ記号論を、一つの理論的遺産とみ、なおその上に、十九世紀後半に現われた論理的に体系化された論理学に近接した記号論の成果の上にたって、構築されたのである。その意味では象徴論は科学的考察のための有効な方法となったばかりでなく、さまざまの政治的諸宣伝にも有効性を持ちうるものであった（この点に関しては、たとえばチャールズ・モリス、両金吉訳『記号、言語、行動』三省堂、一九五六年、参照）。

このような象徴がこの種の情報交換過程で意味を持つことは、あらためて注意する必要がある。象徴がいかなる象徴であろうと、常に言語体系をその基底に持っている。言語がいかなる特性を持つかは、しばしば指摘した通りである。しかし記号としての言語が、ある一定の方向に抽象化されて象徴となると問題は重大である。すなわち、象徴は言語を基底とする限り、本来、客観的事実を指示し、その論理を自らの中に、一体化していなければならない。しかし戦時中の日本政府の発表や、ナチズムの政治宣伝は象徴の体系が事象から全く遊離した実例を示してくれる。そこでは象徴の体系という名目的(nominal)なものが、実質的(real)なものとして人々にうけとられ、むしろ事象自体は現実的でない(unreal)なものとしてうけとられるような事態すら生じたのであった。この例こそ、情報交換過程の持つ内在的な論理が全く独自に作用した典型的なものである。

問題は、現代のブルジョア的体制を維持するために、このような情報交換過程の独自の論理が半ば無意識のうちに利用されているところにあるだろう。たとえば、世論の反映過程としてある世論調査が、常に世論の一方的な形成を促進するという二重の性格は、ほとんど意識されることはない。ここに情報交換・処理の独自性があるのだ。

政治過程における情報交換過程は、ほかにもさまざまの局面を持っている。もはや紙数も尽きたので十分にふれられないが、たとえば反体制的な情報交換過程の形成は、単に政治過程における情報交換過程という問題視角では充分に把握できない性質のものである。[*] またこれに関係して言論・思想の自由の問題も重要であろう。

* 反体制的コミュニケーション・ネットワークの形成の問題は、今日、重要な意味をもっている。このような問題に関しては、松下圭一「現代政治過程におけるマスコミュニケーション」(河出書房新社版『講座 現代マスコミュニケーション』第一巻)を参照。

おわりに

以上で、コミュニケーションの総過程をそうとうに簡略化しながら素描してみたわけであるが、当然ここでとり上げられなかったいくつかの問題がある。それらを気のつくままに摘記して本章を終わりたいと思う。

その一つは、社会的動乱期に常にあった流言飛語の問題である。この点については清水幾太郎などによるくわしい分析があるが、[*] それをひとたび総過程の中に組み入れてあらためて考察をしてみるという作業が残されている。つまり、そのことは、本章でどちらかといえば静態的に分析した方法を多少とも動態的な分析で補うという必要もあるということなのだ。

＊ 清水幾太郎『流言蜚語』岩波書店、一九七二年、オルポート＝ポストマン、南博訳『デマの心理学』岩波書店、一九五二年。

このことに関連して、もう一つの問題は、本章では人間のコミュニケーション活動の展開をあくまでも論理的にたどったわけであるが、この展開過程は、今一度、歴史的にたどる必要がある。つまり、ある意味でのコミュニケーション史が書かれねばならないということでもある。

そして最後に、本章でも部分的に試みたことなのであるが、本章でほぼ三つに分類され、ある意味では便宜的に分けられた各コミュニケーション過程の相互の論理的規定性を明確にする作業が残されている。

おわりに

機能としての、行為としての、あるいは現象としてのコミュニケーションは、社会と文化のすべての領域に遍在している。コミュニケーションを抽出し、自立させ、固有の方法を確定して、コミュニケーションの一般理論を構成することが可能という考えを捨てたわけではないが、以前ほどこだわらなくなった。抽象的かつ普遍的な一般理論が、コミュニケーション行動の微細なニュアンスを、必ずしも十分に説明しうるものではない、と判断したからだろうか。

「はじめに」ですでにことわったように、一編を除いて、本書の各論文は、コミュニケーション現象、コミュニケーション行動の、ある局面、局所的な場面、限定した視角からみえる領域、ある問題意識からとらえた側面等を取り扱っている。その結果、コミュニケーション文化の日本的特性、情報化社会のイメージ、記号論からみた表現・伝達過程、社会文化装置としてのメディア、場（都市空間等）のコミュニケーション構造等々が主題になっている。いうならば、個々の断面の記述に最大の関心がある。記述に若干含まれている理論的な命題を結合し、展開し、敷衍することによって、一般理論への見通しを立てることは、個々の論文執筆のさいも、この本を編むについても、関心の外にあった。

現在でも、こうした局所的な場にあるコミュニケーションを、みずからの関心とイメージにしたがって記述することが、結局のところ、ぼく自身の課題だと思っている。そのひとつが、Ⅷ章の末尾に書いたメディア人間論である。

コミュニケーション行動のかなり核心のところに、「意味」の創出、転移、再創出、拡張、増殖、変態、組み換え、ずらしといった過程がある。こうした「意味」の運動は、ひとがものやことと遭遇した時、ひととひととが出合った時、あるいはひとやものやことが物理的・文化的に移動した時、に必ず活性化する。とすれば、ものの交換、商品交換、ひとの交換と移動、社会的・文化的事件の発生と展開は、そこに常に人間が介在しているからなのだが、すべてコミュニケーション現象である。少なくとも行動・機能としてのコミュニケーションを含んでいる。ぼくのいう「メディア人間論」は、記号性を帯びた対象と人間とのかかわりから、どのように「意味」が析出するのかをとらえることを課題にしているが、要するに、右に書いた「意味」にかかわる過程へのぼくなりの関心のもちかたにほかならない。

この問題には、「交換」というアングルからせまる方法、もの・こと・ひとの意味についての記号論的分析、あるいは記号行動論、文化記号論といったさまざまなアプローチがありうると思う。ぼくの方法（アプローチ）は、これらとおそらくは並列しうるひとつの方法だろう、と自負している。

いうまでもないが、コミュニケーションは、社会的・文化的場に遍在しているから、考えねばならない課題や問題や主題は、いくらでもある。差し当たり、ぼくがいくばくか関心をもっている問題を、気のつくままにあげてみると、たとえば、「情報公開」「ニューメディアと情報化」「メディア機能の交替・変換・転換」「地域社会（文化）とメディア」「社会的イベントとメディア」「メディア（情報）行動の世代差」等々ということになる。もちろん、このほかにもさまざまな課題（テーマ）があるはずだ。これらは、どれをとっても、体系化された一般理論、ひとつの理論モデルなどでは、とうていカタのつきそうにない問題だ、とぼくは思う。方法はいくつかありえ、たかだか、相対的な有効度があるにすぎない。本文でふれたように、記号論は、そのうちのひとつなのである。

記号論もまた、あくまでも相対的な有効性をもつにすぎない。ぼく自身の体験に拠っていえば、記号論をベースに置いて対象や問題についての直観的イメージを、対象とかかわらせながら増殖させ記述する方法が、核心により接近する、少なくとも現在では、より有効な方法のようである。もちろん、こうした方法的意識が、本書の全論文に一貫しているわけではない。ただ読みかえしてみて、自分の方法が、どちらかといえば、ア・プリオリで強固な理論を前提としてというよりか、イメージに触発されて、というスタイルであることは、どうやらたしかのようだ。やはり〈知の体系〉の過渡期・変革期ということになるのだろうか。

以上が論文を選び、配列を考え、若干の加筆と削除の仕事を続けながらの感想である。

各論文の執筆のチャンスを与えてくださった編者・編集者のみなさんに、この機会にお礼を申しあげたい。本書は、編集部の平川幸雄氏のすすめと、ぼくの希望の合作である。十余年にわたる思考の軌跡をまとめる機会を与えてくれた平川氏には、感謝のことばもない。

一九八四年十月

中野　収

本書の原型となった論文

Ⅰ　日本型コミュニケーションの特質（早川善治郎・津金沢聰廣編『マスコミを学ぶ人びとのために』世界思想社、一九七八年に同名論文として発表）

Ⅱ　日本型組織の意思決定（公文俊平・濱口恵俊編『日本的集団主義』有斐閣、一九八二年に「日本型組織におけるコミュニケーションと意思決定」として発表）

Ⅲ　現代人のコミュニケーション行動（竹内郁郎・松原治郎編『新しい社会学』有斐閣、一九七三年に「日本文化とコミュニケーション」として発表）

Ⅳ　情報空間と文化変容（竹内郁郎ほか編『テキストブック社会学6　マス・コミュニケーション』有斐閣、一九七七年に「大衆文化とマス・コミュニケーション」として発表）

Ⅴ　メディアとしての都市（早川・中野・藤竹・北村・岡田『マス・コミュニケーション入門』有斐閣、一九七九年に「都市空間」として発表）

Ⅵ　社会文化的装置としてのマス・メディア（『国文学』一九八三年八月臨時増刊号に「マス・メディア・その演出装置」として発表）

Ⅶ　情報システムと管理社会（伊藤正己ほか『社会科学を学ぶ』有斐閣、一九七〇年に「情報化と管理社会」として発表）

補論　コミュニケーションの構造（山田宗睦編『現代社会学講座Ⅳ　コミュニケーションの社会学』有斐閣、一九六三年に同名論文として発表）

参考文献

（「あとがき」で書いたようなイメージ形成に、大変に刺激的かつ触発的であった文献のうち、主なものをあげる）


W・ベンヤミン、高平宏平訳『複製技術時代の芸術』紀伊国屋書店、一九六三年。

D・リースマン、加藤秀俊訳『孤独な群衆』みすず書房、一九六四年。

E・ホール、国弘・長井・斎藤訳『沈黙の言語』南雲堂、一九六六年。

E・ホール、日高・佐藤訳『かくれた次元』みすず書房、一九七〇年。

M・マクルーハン、後藤・高儀訳『人間拡張の原理』竹内書店、一九六七年。

R・バルト、篠沢秀夫訳『神話作用』現代思潮社、一九六七年。

R・バルト、渡辺・沢村訳『零度のエクリチュール』みすず書房、一九七一年。

R・バルト、佐藤信夫訳『モードの体系』みすず書房、一九七二年。

R・バルト、宗左近訳『表徴の帝国』新潮社、一九七四年。

E・モラン、杉山光信訳『オルレアンのうわさ』みすず書房、一九七三年。

E・モラン、古田幸男訳『失われた範列――人間の自然性』法政大学出版局、一九七五年。

E・モラン、林瑞枝訳『カリフォルニア日記』法政大学出版局、一九七五年。

P・ギロー、佐藤信夫訳『記号学』白水社、一九七二年。

D・ブーアスティン、星野・後藤訳『幻影の時代』東京創元社、一九六八年。

清水幾太郎『流言蜚語』岩波書店、一九四七年。

多田道太郎『複製芸術論』勁草書房、一九六二年。
多田道太郎『管理社会の影』読売新聞社、一九七一年。
佐藤信夫『記号人間』大修館、一九七七年。
佐藤信夫『レトリック感覚』講談社、一九七八年。
佐藤信夫『レトリック認識』講談社、一九八一年。
大岡信『うたげと孤心』集英社、一九七八年。

コミュニケーションの記号論（オンデマンド版）

2004年1月20日　発行

著　者　　中野　収
発行者　　江草　忠敬
発行所　　株式会社 有斐閣
〒101-0051　東京都千代田区神田神保町2-17
TEL 03(3264)1315（編集）　03(3265)6811（営業）
URL http://www.yuhikaku.co.jp/

印刷・製本　　株式会社　デジタルパブリッシングサービス
URL http://www.d-pub.co.jp/

AB455

ISBN4-641-90364-6　　Printed in Japan

著者紹介

中野　収（なかの　おさむ）

1933年長野県生れ　1957年東京大学文学部社会学科卒　現在　法政大学社会学部教授　コミュニケーション論専攻

主著『現代人の情報行動』（1980）『マスコミが事件をつくる』（1981）ほか

コミュニケーションの記号論 〈有斐閣選書〉

昭和59年11月30日　初版第1刷発行

著　者　　中　野　収

発行者　　江　草　忠　敬

発行所　　株式会社 有　斐　閣

東京都千代田区神田神保町2〜17
電話 東京（264）1 3 1 1（大代表）
郵便番号〔101〕振替口座東京6-370番
京都支店〔606〕左京区田中門前町44

印刷　藤本綜合印刷株式会社・製本　株式会社 高陽堂

索　　引

さ 行

た　行

な　行

は　行